Jane Zemiro
Alan Chamberlain

TAPIS VOLANT
second edition
1

THOMSON

★

NELSON

Australia · Canada · Mexico · Singapore · Spain · United Kingdom · United States

102 Dodds Street
Southbank Victoria 3006

Email nelson@thomsonlearning.com.au
Website http://www.thomsonlearning.com.au

First published in 2002
10 9 8 7 6 5
05

National Library of Australia
Cataloguing-in-Publication data

Zemiro, Jane
Tapis volant. 1.

2nd ed.
ISBN 0 17 010575 X.

1. French language - Pronunciation - Study and teaching (Secondary). 2. French
language - Spoken French - Study and teaching (Secondary). 3. French language
- Textbooks for foreign speakers - English. 4. French language - Writing - Study
and teaching (Secondary). I. Chamberlain, Alan. II. Title.

448.2421

Editor Juliet West
Publishing editors Sally Wilson and Ingrid de Baets
Text and cover designer Joanne Groud
Illustrators Richard Mitchell, Michelle Katsouranis, Michael Weldon and Bill Wood
Photo researchers Robyn Elsworth and Gillian Cardinal
Typeset in Garamond 3, 13 points by Norma Van Rees
Production controller Selina Brendish
Printed in China by C&C Offset Printing Co., Ltd.

This title is published under the imprint of Nelson School.
Nelson Australia Pty Limited ACN 058 280 149 (incorporated in Victoria)
trading as Thomson Learning Australia.

Any URLs contained in this publication were checked for currency during the
production process. Note, however, that the publisher cannot vouch for the
ongoing currency of URLs.

acknowledgements

The authors and publishers would like to thank the following people and organisations for their assistance during the development of *Tapis Volant 1 second edition*: Sydney Moutia in Mauritius for help and information; Daniel de Rudder in Réunion for information and photos; Lesley Micheletti in Vanuatu; Carole Channer in Montréal; Sylvana Cibei and Dominique Barbeau for help and advice on revisions to the first edition; Daniel Rignault (Victorian French adviser) for advice on the French education system; the Merour-Trassaërt family, especially Julianne Merour for information on French youth culture; Catherine Szczurko; Mireille Vonglis; Claudie Chantre in Paris; Helen and Ron Cox in Grenoble; Iain Walker for *The Complete Guide to the Southwest Indian Ocean*, (Cornelius Books, 1993); the Alliance Française de Brunei for assistance with documentation. Special thanks to Christian Gaujac for his assistance and to Pam Brown for photos and advice.

The authors and publishers would like to thank the following people for attending focus groups and reviewing manuscript at different stages of development:

Pippa Anderson (Macarthur Girls' High School, NSW); Angèle Cadge (Eltham High School, Vic); Beth Cameron (Korowa Anglican Girls' School, Vic); Colin Creed-Smith (Barker College, NSW); Kelly Farrell (Melbourne Girls' College, Vic); Pam Galloway (The Friends' School, Tas); Friederica Goldis (Mentone Girls' Secondary College, Vic); Laura Gorey (Loyola College, Vic); Kate Hindell (Vermont Secondary College, Vic); Sue Holberton (Camberwell High School, Vic); Karen Jones (Ballarat Secondary College, Vic); Jackie Kenny (Karingal Park Secondary College, Vic); Evelyn Masterson (Siena College, Vic); Nerella McDonald (St Patrick's College, Vic); Margaret McIntyre (St Patrick's College and VSL Ballarat, Vic); Jackie Maclean (Camberwell Grammar School, Vic); Maria Melchiorre (Bunbury Senior High School, WA); Jennifer Parker (Ivanhoe Grammar School, Vic); Glen Robins (St Kevin's College, Vic); Cathy Romeo (Loyola College, Vic); Christine Shamanis (Trinity Grammar School, Vic); Tracy Stevens (Parramatta Marist High School, NSW); Marie Louise Thornton-Smith (Presentation College, Vic); Lynne Vero (Pascoe Vale Girls' Secondary College, Vic); Anne Watson (Presbyterian Ladies' College Junior School, Vic); Chris Webb (Pembroke School, SA); Carol Wright (Sandringham Secondary College, Vic).

The authors and publisher would like to gratefully credit or acknowledge permission to reproduce photographic material from the following sources:

AAP Image, pp. 58 top, 73 bottom left; ANT Photo Library, p. 53 centre bottom right; Australian Picture Library/ Corbis, pp. 36 centre right, 36 bottom right, 29, 36 top right, 36 centre left, 53 bottom left, 67 top right, 68 bottom, 73 top left, 83 top left, 87 top right, 93 bottom, 94 centre top, 94 centre bottom, 101 centre right, 109 bottom right, 110 centre left, 113, bottom left, 123 top left, 123 bottom left, 129 top, 129 bottom, 130 top right, 30 centre, 10, 48 bottom, 60 right, 76 bottom, 38, 68 top, 124, 132 top, 96/ Patrick Giardino, p. 145 bottom right/ Jack Fields, p. 86 centre/ Jonathan Blair, p. 87 top centre/ Stuart Westmoreland, p. 87 top left/ Fotografia Inc., p. 101 top/ Chris Hellier, p. 113 bottom centre/ Daniel Laine, p. 113 bottom right/ Nik Wheeler, p. 114 top/ Hubert Stadler, pp. 114 bottom, 130 bottom left, 145 top right/ Yann Artus-Bertrand, p. 130 bottom right; Coo-ee Picture Library, p. 130 top left; Digital Stock, cover bottom, pp. 3, 83 top centre; Frediric de la Mure/ MAE, pp. 15 bottom, 93 top left, 137 bottom left; Fetedelamusique.culture.fr, p. 35 bottom right; Getty Images, cover top left, pp. i top, 26, 59 top left; Great Southern Stock, p. 138 bottom, 137 bottom right, 138 top; Image Addict, pp. 123 bottom centre, 123 bottom right, 123 top right, 94 bottom, 94 top, 88; Kino Studio, pp. 15 top, 27 bottom, 59 top right, 81 top, 81 bottom, 110 centre right, 137 centre right, 145 top left, 109 bottom left, 23 top, 23 bottom, 35 top, 137 top, 116, 101 bottom; Lonely Planet Images, cover top centre, pp. i bottom, 7, 27 top, 28, 36 top left, 86 centre left; Christine Manns, cover top right; New Caledonia Tourism, p. 8; Newspix, p. 73 top right; Photodisc, pp. 25, 123 bottom centre; Photo Edit Inc./ Laura Dwight, p. 67 top left; Photolibrary.com, pp. 30 top, 58 bottom, 84 top, 121/ Edward Dann & Associates, pp. 132 bottom, 140 bottom, 104; Photonewzealand.com/ Nick Servian, p. 37; Photosfromfrance.co.uk/ Keith Gibson, pp. 36 bottom right, 93 top right; RATP, p. 109 centre; Reuters, p. 73 bottom right; Sunset.fr, pp. 110 bottom left, 35 bottom left; Juliet West, pp. 18, 30 bottom, 48 top, 60 top, 76 top, 83 top right, 140 top.

Every attempt has been made to trace and acknowledge copyright holders. Where the attempt has been unsuccessful, the publisher welcomes information that would redress the situation.

All other photographic material was provided by the authors from their own collections.

contents

Unit	Communicative aims	Grammar	Cultural note
unité 1 **Bonjour !** 2	• greeting someone • saying and spelling your name • saying your nationality	• verb **être** (irreg.) full present tense • definite article (**le, la, l', les**) • asking questions • adjectives of nationality	New Caledonia
unité 2 **C'est la rentrée !** 10	• asking how someone is and replying • asking for and giving information about others • asking what something is and replying	• noun plurals (**+s**) • indefinite article (**un, une des**) • negative verb forms (**être**) • asking questions (**qui est-ce ? / qu'est-ce que c'est ?**)	French school system
unité 3 **Des copains français en Australie** 18	• introducing yourself • saying what language(s) you speak • saying where you live • agreeing and disagreeing	• 1st group (regular **-er**) verbs: **parler, habiter, jouer** • **habiter à / au / aux / en** • negative verb forms (**Rappel !**)	Mauritius

Unité de culture 1 : Le français dans le monde   **26**
Le monde francophone

Unit	Communicative aims	Grammar	Cultural note
unité 4 **C'est la fête !** 30	• asking for and giving the day and date • using numbers 0–31	• number one (**un / une**) • **de** + noun • **de** + definite articles • **quel / quelle**… ?	Celebrations and festivals
unité 5 **Il est quelle heure ?** 38	• using numbers 0–100 • asking and giving the time • asking for and giving addresses and phone numbers	• **à quelle heure**… ? • 12 and 24 hour clocks • more 1st group (regular **-er**) verbs (**aimer, rouler, téléphoner (à), regarder**)	Time zones
unité 6 **Un chien, c'est un copain** 48	• describing animals size, colour and other characteristics • expressing possession using **avoir**	• **avoir** (irreg.) present tense • negative **avoir** + **de** • position and agreement of adjectives • plural nouns (**+x**)	Animal emblems and countries

Unité de culture 2 : La France et l'Europe   **56**
L'Union européenne

Unit	Communicative aims	Grammar	Cultural note
unité 7 **Ça, c'est ma famille** 60	• asking and answering questions about families • expressing possession using **mon, ma, mes**… • asking and answering questions about age	• expressing possession (**c'est le X de Y**) • possessive adjectives **mon, ma, mes**… • **avoir** … **ans**	The family in France
unité 8 **Comment sont-ils ?** 68	• describing people's appearance • describing clothing • describing personality	• asking questions (continued) • feminine and plural adjectives • **à** + definite article descriptions	Famous French people

v

introduction

All aboard the magic carpet for a trip around the French-speaking world! As your journey unfolds you will meet young people living in France, Australia and New Caledonia. Through their daily life and the people they know, you will become acquainted with other French-speaking people and their cultures in different parts of the world.

During your travels, you will learn to understand, speak, read and write simple, useful and up-to-date French. Each unit begins with a brief summary of what you will learn, then provides you with the following information and activities:

- **situations** – read about and listen to our French, Australian and New Caledonian cartoon friends in a number of everyday situations.
- **manières de dire** – use these key expressions to help you with the speaking and writing tasks.
- **activités orales** – practise speaking French using these role plays and activities.
- **grammaire** – refer to these easy-to-read summaries of the grammar in the unit.
- **lecture** – read different types of texts in French: dialogues, letters, emails, advertisements and more.
- **infos** – find out more about the cultures of French-speaking people from France and around the world.
- **vocabulaire** – check that you have learnt all the key vocabulary of the unit. (You can look up the English equivalents at the back of the book if you need to.)

You can listen to this material on CD.

Your teacher may ask you to do an ICT activity.

There are also four special units on culture which take a more in-depth look at the French-speaking world.

At the back of the book you will find:

- tables of verbs
- notes on adjectives and nouns
- useful expressions
- French–English and English–French wordlists.

For more practice in listening, reading and writing there is a Workbook with lots of exercises and activities.

Bon voyage !

Jane Zemiro and Alan Chamberlain

présentation des personnages

En Nouvelle-Calédonie

J'habite à Nouméa avec ma soeur Marie et mes parents. Nous sommes d'origine mélanesienne. On parle français mais aussi notre langue kanak. J'apprends l'anglais à l'école.

Michelle

André

Jacques

En Australie

Mark et Katie

Mon père est français. Il habite à Marseille, en France. Ma mère est prof de français. Alors nous parlons français à la maison.

Mes parents sont de l'île Maurice. Nous parlons français, anglais et créole, de temps en temps. Nous avons beaucoup d'amis mauriciens ici en Australie.

Nous sommes australiens mais nous sommes nés en France. Maintenant nous sommes de retour en Australie, à Melbourne. Nous parlons français, bien sûr !

En France

Sophie

Je suis française et j'habite à Paris.

Moi, je suis le frère de Sophie.

Yves

Louise

Karim

Pierre

Je suis français, et j'habite à Paris, tout près de Sophie.

Je suis anglaise, mais j'habite à Paris, et je parle anglais et français. C'est chouette, la France !

Je suis français, j'habite à Paris, je parle français et arabe. Mes parents sont du Maroc.

un 1

Bonjour !

In this unit you will learn how to:

- greet someone
- say your name
- say your nationality
- spell your name

situation

En Nouvelle-Calédonie

Bonjour !

Bonjour.

Bonjour.

Bonjour.

Tu es française ?

Je m'appelle Jacques. Et toi ?

Non, je suis australienne.

Moi, je m'appelle Michelle.

Ah bon… L'Australie, c'est formidable !

Vrai ou Faux ?

1. La fille s'appelle Michelle.
2. Elle est française.
3. Le garçon français s'appelle Jacques.
4. David est australien.
5. Michelle et David sont en Nouvelle-Calédonie en vacances.

manières de dire

Bonjour.

Salut.

Tu t'appelles comment ?

Je m'appelle Daniel.

Je suis	français.
	française.

Je suis	australien.
	australienne.

Je suis	néo-zélandais.
	néo-zélandaise.

activités orales

1 Find out the names of the other students in your class.

    A   Tu t'appelles comment ?   **B**   Je m'appelle…

2 Introduce yourself and say your nationality.

    Bonjour. Je m'appelle…
    Je suis…

3 Listen to the French alphabet rap, then practise saying the letters.

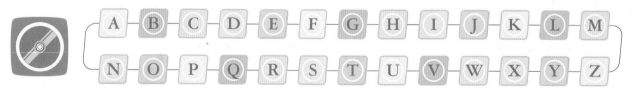

4 Work with a partner. Student A spells out his/her name using the French alphabet. Student B writes the name down. Then change roles.

pays et nationalités

l'Algérie (f)
algérien / algérienne

l'Allemagne (f)
allemand / allemande

l'Angleterre (f)
anglais / anglaise

l'Australie (f)
australien / australienne

la Belgique
belge

le Canada
canadien / canadienne

la Chine
chinois / chinoise

l'Égypte (f)
égyptien / égyptienne

l'Espagne (f)
espagnol / espagnole

les États-Unis (mpl)
américain / américaine

la France
français / française

la Grèce
grec / grecque

l'Inde (f)
indien / indienne

l'Indonésie (f)
indonésien / indonésienne

l'Irlande (f)
irlandais / irlandaise

l'Italie (f)
italien / italienne

le Japon
japonais / japonaise

le Maroc
marocain / marocaine

la Nouvelle-Zélande
néo-zélandais / néo-zélandaise

la Suisse
suisse

la Tunisie
tunisien / tunisienne

le Viêt Nam
vietnamien / vietnamienne

grammaire

1 Le verbe être

Être is an irregular but very frequently used verb. Note that the form changes according to the subject pronoun.

Tu es française?

Non, je **suis** australienne.

	singulier			**pluriel**	
	subject pronoun				
1	**je suis**	I am	1	**nous sommes**	we are
2	**tu es**	you are	2	**vous êtes**	you are
3	**il est**	he is	3	**ils sont**	they are
	elle est	she is		**elles sont**	they are
	on est	we are			

être   *to be*

There are two words for *you* in French: **tu** and **vous**. Use **tu** for a person you know well, another student your age, a younger child or an animal. Use **vous** when you are talking to an adult you don't know very well or to more than one person.

Note also that *they* can be **ils** or **elles**. If the group is mixed, ie if you are talking about a group of boys and girls, **ils** is used.

2 L'article défini (le, la, l', les)

In French all names of things are either masculine or feminine. So you must indicate this with the French word for *the*, the definite article. There are four forms of the definite article in French: **le, la, l'** and **les**. When the noun is masculine singular (one only) we use **le**. For a feminine singular noun we use **la**. When a singular noun begins with a vowel (a, e, i, o, u) or h, **l'** is used. When the noun is plural (more than one) we use **les**. Note that when a plural noun begins with a vowel the **s** in **les** is pronounced.

le garçon   les garçons

la fille   les filles

l'enfant   les enfants

3 Poser des questions

The simplest way to ask a question is to raise your voice at the end of a sentence.

Another way to ask a question is to use a questioning word such as **comment** ?

Tu es française ?

Et toi, tu t'appelles comment ?

Comment tu t'appelles ?

4 Les adjectifs

Most adjectives in French have different endings for male and female, singular and plural.

Remember that although **ils** can refer to a group of males and females, the adjective is still masculine plural.

	masculin		**féminin**	
singulier	David est	français.	Hélène est	française.
	Il est	australien.	Elle est	australienne.
	Il est	belge.	Elle est	belge.
pluriel	David et Philippe sont	français.	Hélène et Sylvie sont	françaises.
	David et Hélène sont	australiens.	Elles sont	australiennes.
	Ils sont	belges.	Elles sont	belges.

Nouvelle-Calédonie

Australie — Brisbane, Sydney, Melbourne

Nouvelle-Zélande

INFOS

La Nouvelle-Calédonie

many unique species of plants, birds, animals and fish to be found there. Since everybody there speaks French, a lot of students of French go there on school trips.

The **bougna** is a traditional Melanesian tribal festival meal, but it is also offered to tourists in some parts of New Caledonia. The dish consists of pieces of yam, taro, sweet potato and banana, mixed with chicken, crab, lobster or other meat. Coconut cream is added and the mixture is wrapped in banana leaves, tied tightly with palm fronds and cooked on hot coals for about two hours before being unwrapped and eaten.

New Caledonia is the nearest French territory to Australia and the furthest away from France. It is the fourth largest island of the South Pacific, after New Guinea and the islands of New Zealand. It was named in 1774 by British explorer James Cook and was claimed by the French in 1853, on the orders of Napoleon III.

Tourists like to visit New Caledonia because of its warm climate, beautiful beaches and coral reefs. There are also

À Nouméa

vocabulaire

noms
- Australie (f)
- Nouvelle-Calédonie (f)
- Nouvelle-Zélande (f)
- fille (f)
- garçon (m)

pronoms
- je
- tu
- il
- elle
- on
- nous
- vous
- ils
- elles
- moi
- toi

verbes
- s'appeler (je m'appelle, tu t'appelles, il / elle s'appelle)
- être

adjectifs
- australien(ne)
- français(e)
- néo-zélandais(e)
- formidable

adverbes, conjonctions prépositions
- aussi
- c'est
- chez nous
- comment
- en vacances
- et
- ici
- mais
- non
- oui

expressions
- À demain.
- Ah bon.
- Attention !
- Au revoir.
- Bienvenue.
- Bonjour.
- Merci.
- Pardon.
- Salut.

C'est la rentrée !

In this unit you will learn how to:

- ask how someone is and reply
- ask for and give information about others
- ask what something is and reply

Vrai ou Faux ?

1. Louise n'est pas contente.
2. Elle est française.
3. Sophie est très sympa.
4. Karim est un copain de Sophie.
5. Il est anglais.

manières de dire

Comment ça va?
Ça va ?

Ça va très bien.

Ça va.

Pas mal.

Pas très bien.

À tout à l'heure.

À bientôt.

Qui c'est ?
C'est qui ?
Qui est-ce ?

C'est une copine de Sophie.

C'est Karim.

C'est le professeur de français.

Qu'est-ce que c'est ?

C'est un stylo-bille.

C'est une gomme.

Ce sont des crayons.

activités orales

1 Take turns to greet other members of the class and ask them how things are going.

A Bonjour, … Ça va ?

Pas mal.

B Ça va très bien. Et toi ?

2 Your teacher or another student shows the class a selection of pictures of famous people. Take turns to ask who it is and give the answer.

A Qui c'est ?

B C'est…

3 Your teacher or another student holds up an item from a school bag and asks what it is. Take it in turns to respond.

A Qu'est-ce que c'est ?

B C'est un livre.

grammaire

1 Le pluriel des noms

The plural form for nouns is made by adding either **-s** or **-x** to the singular form. The most common way is to add **-s.**

le garçon	les garçons
la fille	les filles

2 L'article indéfini

Whenever you say *a* or *an* in French you have to choose between masculine and feminine, as with the definite article *the*. There are two words for *a* or *an* in French: **un** (for masculine nouns) and **une** (for feminine nouns).

un garçon	une fille
un stylo	une gomme

The plural indefinite article, meaning *some,* is **des**. It is the same for masculine and feminine plural.

des garçons	des filles
des stylos	des gommes

3 La forme négative

In English we make verbs negative with expressions using *not*, such as *is not / isn't, do not / don't*. In French we use **ne ... pas** on either side of the verb. Note that **ne** is shortened to **n'** when the verb starts with a vowel.

Je ne suis pas française.

Il n'est pas français.

positif	négatif
je suis	je ne suis pas
tu es	tu n'es pas
il / elle / on est	il / elle / on n'est pas
nous sommes	nous ne sommes pas
vous êtes	vous n'êtes pas
ils / elles sont	ils / elles ne sont pas

4 Qui est-ce ? / Qu'est-ce que c'est ?

There are several ways of asking who someone is:

Qui est-ce ?
Qui c'est ?
C'est qui ?

To ask about objects we use:

Qu'est-ce que c'est ?

The response for both usually begins with **c'est** for a singular object or person, or **ce sont** for plurals.

C'est un copain.
C'est un stylo.
Ce sont des copains.
Ce sont des cahiers.

INFOS

Le système scolaire français

École maternelle	3–6 years
École primaire	6–11 years
Collège	
6ème	11–12 years
5ème	12–13 years
4ème	13–14 years
3ème	14–15 years
Lycée	
2nde	15–16 years
1ère	16–17 years
Terminale	17–18 years

There are three levels of school in France: *l'école primaire* (primary school), *le collège* (junior secondary school) and *le lycée* (senior secondary school). There is also *la maternelle* (kindergarten) for pre-school children. Schooling is compulsory for French children up to the age of 16. Only 13% of French students attend private schools, the majority go to non-fee-paying state schools.

The French school year begins in September and ends in July. French students have 16 weeks of holidays, including more than 8 weeks in the summer months of July and August. Students attending a *collège* have 26 hours of classes per week, from 8 a.m. to 4 p.m. They don't go to school on Wednesday afternoons, but often have lessons on Saturday mornings.

La rentrée

vocabulaire

noms
- cahier (m)
- calculette (f)
- compas (m)
- copain (m) / copine (f)
- crayon (m)
- gomme (f)
- livre (m)
- règle (f)
- rentrée (f)
- sac (m)
- stylo-bille (m)
- surligneur (m)
- taille-crayon (m)
- trousse (f)

expressions
- À bientôt.
- À tout à l'heure.
- Bon, ben…
- Ça va ?
- Ça va.
- Ça va très bien.
- Comment ça va ?
- Courage !
- Pas mal.
- Pas très bien.
- Pourquoi ?
- Qui c'est ? / C'est qui ? /
- Qui est-ce ?

adjectifs
- anglais(e)
- content(e)
- mignon(ne)

Des copains français en Australie

In this unit you will learn how to:

- introduce yourself
- say what language(s) you speak
- say where you live
- agree and disagree

À Melbourne

situation

Oh pardon !

Ce n'est pas grave. Vous parlez français ?

Oui.

Oui, oui.

Comment ça ?

Je parle français à la maison avec maman.

Je suis mauricien, mais maintenant j'habite en Australie. Chez nous on parle français. Mais je parle anglais aussi !

On se présente ? Je m'appelle Mark.

Moi, je m'appelle Katie. Nous aussi, on parle français.

Et moi, je parle français, anglais, et miaou.

Vrai ou Faux ?

1 Mark est australien.

2 Il ne parle pas français.

3 Michelle ne parle pas français à la maison.

4 André est mauricien.

5 Il parle français et anglais.

6 Katie est très contente.

manières de dire

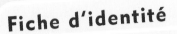

Fiche d'identité

Nom de famille : LEBRUN

Prénom : Daniel

Nationalité : australienne

Adresse : Canberra

Langues : français, anglais

Je m'appelle Daniel Lebrun. Je suis australien. J'habite à Canberra en Australie. Je parle français et anglais.

activités orales

1 First make five or six ID cards following the model below. Fill in one card with your own details and leave the others blank. Form a group with other classmates and, using your ID card information, introduce yourself to the group. Write down the details of the others on your blank ID cards as they present themselves.

Fiche d'identité

Nom de famille :

Prénom :

Nationalité :

Adresse :

Langues :

Je m'appelle… Je suis… J'habite à… en… Je parle… et…

2 Work in groups of four or five. Each member of the group thinks up the name of a film / book / video game / sports team and makes a comment. The others then agree or disagree.

A …, c'est chouette !

B Oui, c'est super !

C Ah non, pas d'accord.

D Non, c'est nul !

grammaire

1 Les verbes réguliers en -er

Vous parlez français?
Chez nous on parle français.

Most verbs in French follow a regular pattern of endings and belong to the first group of verbs whose infinitive ends in -er. You have already met some of these verbs: **parler**, **habiter**, **jouer**.

Note that:

- the pronoun **on** is often used instead of **nous** to mean *we*, but it uses the same form of the verb as **il** or **elle**. It can also mean *they* or *one*.
- **je** becomes **j'** before the h of **habite**.
- the **-ent** at the end of the **ils** and **elles** form of the verb is never pronounced.
- the **s** in **ils** and **elles** is not pronounced unless it is followed by a vowel or an **h**.

parler — to speak

je parle	I speak / am speaking	nous parlons	we speak / are speaking
tu parles	you speak / are speaking	vous parlez	you speak / are speaking
il parle	he speaks / is speaking	ils parlent	they speak / are speaking
elle parle	she speaks / is speaking	elles parlent	they speak / are speaking
on parle	we speak / are speaking		

habiter — to live

j'habite	nous habitons
tu habites	vous habitez
il habite	ils habitent
elle habite	elles habitent
on habite	

jouer — to play

je joue	nous jouons
tu joues	vous jouez
il joue	ils jouent
elle joue	elles jouent
on joue	

2 Habiter à / en

To say which *town* you live in, use **habiter à**:

J'habite à Paris.
J'habite à Melbourne.

To say which *country* you live in, use **habiter en** for a feminine country:

J'habite en France.
J'habite en Australie.

Use **habiter au** for a masculine country:

J'habite au Japon.
J'habite au Canada.

Use **habiter aux** for a masculine plural country:

J'habite aux États-Unis.

3 La forme négative

! rappel **Ne ... pas** is used to make a negative statement.

Tu habites à Paris ?
Il parle français ?
Vous êtes australiens ?
On joue ?

Non, je n'habite pas à Paris.
Non, il ne parle pas français.
Non, nous ne sommes pas australiens.
Non, on ne joue pas.

See also Unit 2, p. 14.

In informal speech we do not always say the **ne**.

Je (ne) parle pas français.

INFOS

L'île Maurice

Mauritius has a population of just over one million people. Mauritians come from several different ethnic origins: Indian, African, Chinese and European. With such a range of beliefs and customs on the island, hardly a week goes by without a celebration of some kind, whether it is Hindu, Christian, Chinese or Muslim.

In the sixties and seventies Mauritians began to migrate to Australia. Today they form a significant percentage of Australia's French-speaking community.

Mauritius is a volcanic island in the Indian Ocean situated about 6000 km west of Perth and 2000 km from Durban in South Africa. The island has a large central plateau, impressive mountains and a coastline almost entirely surrounded by coral reefs. The seasons cannot be clearly defined as rainy and dry, but it is hotter and more humid from January to March. Almost everywhere the vegetation stays green throughout the year.

Les copains de Melbourne

Fiche d'identité

Nom de famille : BROWN

Prénom : Mark

Nationalité : australienne

Adresse : Box Hill

Langues : français, anglais

Fiche d'identité

Nom de famille : BROWN

Prénom : Katie

Nationalité : australienne

Adresse : Box Hill

Langues : français, anglais

Fiche d'identité

Nom de famille : LATOUR

Prénom : André

Nationalité : mauricienne

Adresse : Footscray

Langues : français, anglais, créole

Fiche d'identité

Nom de famille : PERRIN

Prénom : Michelle

Nationalité : australienne

Adresse : Brighton

Langues : français, anglais

Une carte postale d'Australie

Salut, Jacques !

Je suis chez moi à Brighton.
Comment ça va à Nouméa ? David
est toujours là en vacances ? Ici à
Melbourne ça va bien. Il y a des
copains français à l'école. Il y a
André, de l'île Maurice. Il est très
sympa. Il y a aussi Mark et Katie.
Ils parlent français (mais ils sont
australiens). C'est super.

À bientôt !

Michelle

Jacques Canala

23, rue Georges Clémenceau

98000 NOUMÉA

NEW CALEDONIA

vocabulaire

noms
- adresse (f)
- Formule 1 (f)
- jeu (m) vidéo
- langue (f)
- nationalité (f)
- nom (m) de famille
- prénom (m)
- rap (m)
- science-fiction (f)

verbes
- habiter
- jouer
- parler

adjectifs
- chouette
- ennuyeux (-euse)
- génial(e) (fam)
- grave
- mauricien(ne)
- nul(le) (fam)
- rasoir (fam)
- super

expressions
- À la maison
- Au revoir.
- Chez nous
- Comment ça ?
- (Pas) D'accord.
- Enchanté(e).
- On se présente ?

adverbes
maintenant

1 Le français dans le monde

Le monde francophone

Belgique

Luxembourg

France

Suisse

Val d'Aoste

Andorre

Monaco

Vue aérienne de Paris

ENGLISH, AS WE KNOW, is an international language. It is spoken not just in England and the United Kingdom, but all over the world. French is also an important international language.

In Europe, French is an official language in:

- France
- Switzerland
- Belgium
- Luxembourg
- Monaco
- Andorra
- the Aosta Valley in Italy.

IT IS AN OFFICIAL LANGUAGE IN CANADA. In the Canadian province of Quebec, there are approximately 7 million French speakers. There are another million or so in New Brunswick and other Canadian states.

In the eighteenth century groups of French colonists were expelled from Acadia in eastern Canada and moved to Louisiana in the southern United States. Their Louisianan descendents are called Cajuns and their language and style of cooking still reflect their French ancestry.

Une rue du Vieux-Québec

IN ASIA, OLDER PEOPLE IN VIETNAM, Cambodia and Laos still speak French because these countries were once French colonies known as French Indo-China. However, French is now being replaced by English as the major foreign language there.

French is the official language in the French overseas *départements* and *territoires* (*DOM-TOM*) in the Caribbean: Guadeloupe and Martinique; the Indian Ocean: Reunion; and the Pacific: New Caledonia, Wallis and Futuna and French Polynesia.

Une rue de Hanoi, au Viêt Nam

Le monde francophone

IN THE MIDDLE EAST, French is an important language of communication in Lebanon and Syria and widely used in parts of northern Egypt.

In the Arabic states of northern Africa – Algeria, Morocco and Tunisia – French is widely used in business, the media and education.

In the African countries of Gabon, Burundi, Rwanda, Congo and the Ivory Coast (and in about 20 African countries in all) French is either an official language or widely used on an unofficial basis.

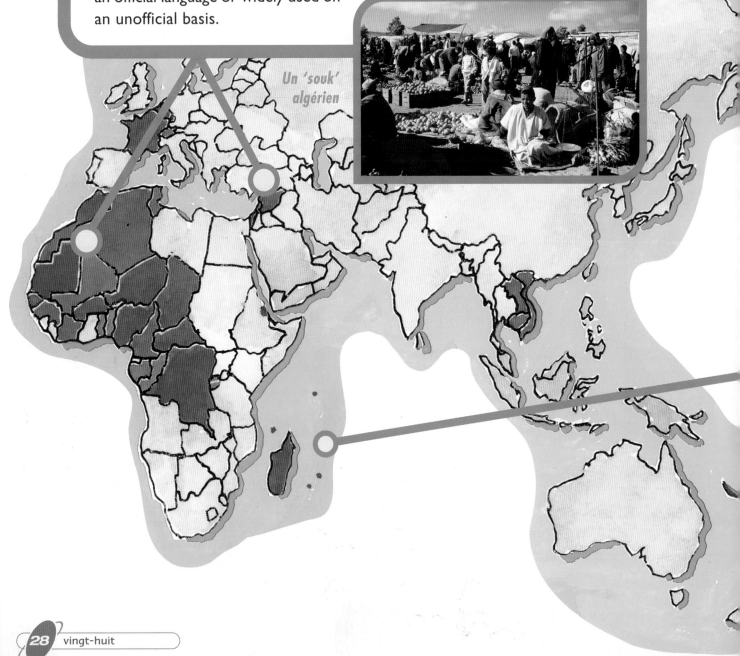

Un 'souk' algérien

activités

 1 Do you know anyone who speaks French at home? Where do they come from?

 2 Do you know any French shops, restaurants or businesses in your area?

3 What kind of products are these?

  • Citroën   • Camembert   • Burgundy

What other French products do you know?

4 Research a French-speaking country using the Internet or the library. Find out the following:

  • Where is it?

  • What is its size and population?

  • Why is French spoken there?

  • Do the country's leaders have French names?

  • Do any of the restaurants, hotels or tourist sites have French names?

FRENCH AND FRENCH CREOLE are major languages of the Indian Ocean countries of Mauritius and the Seychelles, and in the Pacific, the Republic of Vanuatu.

After English, French is the most widely taught second language in the world.

In Australia, French is spoken by many thousands of people who have migrated from countries such as France, North Africa, Egypt, Lebanon, Mauritius, Vietnam, Laos and Cambodia and by many tourists.

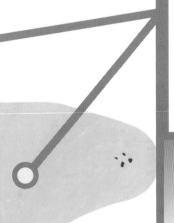

Plage tropicale de Tahiti

C'est la fête !

In this unit you will learn how to:

- ask for and give the day and date
- use numbers from 0–31

situations

À Nouméa

Marie, on est quel jour aujourd'hui ?

On est vendredi. Demain, samedi, c'est la fête de l'igname.

Ah oui… c'est vrai !

À Paris

On est le combien aujourd'hui ?

Aujourd'hui c'est le 2 juillet.

Hourra ! C'est la finale de la Coupe d'Europe !

Mais c'est aussi l'anniversaire de Louise !

Vrai ou Faux ?

1. La fête de l'igname, c'est vendredi.
2. Pierre est content.
3. L'anniversaire de Louise, c'est le 2 juillet.
4. La finale de la Coupe d'Europe, c'est le 3 juillet.
5. Mark et André jouent au 'poisson d'avril'.
6. Mme Brown est contente.

manières de dire

On est quel jour aujourd'hui ?

On est vendredi.

Le mois de mars

mars						
lundi	mardi	mercredi	jeudi	vendredi	samedi	dimanche
				1 un / une (le premier)	2 deux	3 trois
4 quatre	5 cinq	6 six	7 sept	8 huit	9 neuf	10 dix
11 onze	12 douze	13 treize	14 quatorze	15 quinze	16 seize	17 dix-sept
18 dix-huit	19 dix-neuf	20 vingt	21 vingt et un	22 vingt-deux	23 vingt-trois	24 vingt-quatre
25 vingt-cinq	26 vingt-six	27 vingt-sept	28 vingt-huit	29 vingt-neuf	30 trente	31 trente et un

un jour

un mois

une semaine

Nous sommes le combien aujourd'hui ?

On est le combien aujourd'hui ?

Nous sommes le treize mars.

On est le trente et un mars.

Quelle est la date, aujourd'hui ?

Aujourd'hui, c'est le lundi dix-huit mars.

Le calendrier français

automne	septembre rentrée scolaire	octobre vacances de la Toussaint	novembre Toussaint (1er) Armistice (11)
hiver	décembre vacances de Noël Noël (25)	janvier jour de l'An (1er) fête des Rois (6)	février vacances d'hiver Saint-Valentin (14) Mardi Gras
printemps	mars (Pâques)	avril Poisson d'avril (1er) vacances de printemps (Pâques)	mai fête du Travail (1er) fête de la Victoire (8) Ascension
été	juin Pentecôte fête de la Musique (21)	juillet fête nationale (14) vacances d'été	août Assomption vacances d'été

activités orales

1 Work in pairs. First both write down the first letter of five days of the week, in French, in any order. Student A then calls out the letters to Student B, who has to identify the day or days that start with that letter (you have five seconds to reply!). Then change roles. The one who says the most days correctly is the winner.

 A   V

 B   Vendredi !

2 First write down 10 dates using figures, such as *12/5 (lundi)*. Then, with a partner, take it in turns to ask each other the date in French. Write down the answers you get using figures. When you have finished, compare your sets of figures to check you have given and received the correct information. Try to use the different ways of asking and giving the date.

 A   On est quel jour, aujourd'hui ?

 B   Aujourd'hui, on est le lundi douze mai.

1 Le chiffre un (une)

Note that the word for the number *one* is the same as for the indefinite article *a* / *an* and must agree with the noun. See Unit 2, p. 14.

un garçon	one boy / a boy
une fille	one girl / a girl

2 La préposition de + nom

This construction can indicate possession:

l'anniversaire de Louise

It can also add information to a noun:

le professeur de français

le mois de juin

Before a vowel we use **d'**:

le professeur d'anglais

3 La préposition de + l'article défini

 rappel

In Unit 1 we saw that the words for *the* in French are **le**, **la**, **l'** and **les**. See Unit 1, p. 6.

	masculin	féminin
singulier	le / l'	la / l'
pluriel	les	les

In order to say *of the …* or *from the …* we use **de** + definite article.

de + le = du	la fête du Travail
de + la = de la	les jours de la semaine
de + l' = de l'	les mois de l'année
de + les = des	la fête des Rois

4 Quel / Quelle… ?

This is a question word used to ask *Which … ?* or *What … ?*

On est quel jour ?

Quelle est la date aujourd'hui ?

As with adjectives, this word must have the same gender (masculine or feminine) and number (singular or plural) as the noun to which it refers.

	masculin	féminin
singulier	quel	quelle
pluriel	quels	quelles

La fête du Travail, le 1ᵉʳ mai

May Day was originally a celebration to mark the beginning of spring. It is traditional to offer one another sprigs of lily of the valley (*le muguet*) as a symbol of good luck on this day. It is now also a day which celebrates workers' rights, with mass marches in the streets of most French towns.

La fête nationale, le 14 juillet

Bastille Day celebrates the day in 1789 when the people of Paris invaded the dreaded Bastille prison, marking the beginning of the French Revolution. The most important event of the day is a military parade along Paris' *Champs-Elysées* with a display of fighter jets overhead. At night there are fireworks and dancing in the streets all over France.

La fête de l'igname, mi-mars

The Festival of the Yam takes place at harvest time in New Caledonia, generally in mid-March. Many Kanaks living in Noumea return to their villages for a gathering of the clan and sharing of the yam, which is deeply respected, as it symbolises the remembrance of ancestors and a link with the earth.

Poisson d'avril, le 1ᵉʳ avril

In France, as in Australia, this is a day for playing tricks on people: April Fool's Day. It is also a French custom to cut out a paper fish, then try to stick it on someone's back without their noticing. You then say '*Poisson d'avril !*'

La fête de la Musique, le 21 juin

During the night of 21ˢᵗ June, the streets of French towns and villages are alive with all kinds of music. Anyone, whether amateur or professional, is free to play, and many people wander around to listen.

Bonne fête !

As well as their birthday, French people can celebrate their name day, if they are named after one of the saints that appears on the calendar. However, this is an old tradition and one that is tending to disappear in modern multicultural France as fewer people now have 'Christian' names.

novembre						
lundi	**mardi**	**mercredi**	**jeudi**	**vendredi**	**samedi**	**dimanche**
				5 Sylvie	6 Bertille	7 Carine
1 TOUSSAINT	2 Défunts	3 Hubert	4 Charles	12 Christian	13 Brice	14 Sidoine
8 Geoffroy	9 Théodore	10 Léon	11 VICTOIRE 1918	19 Tanguy	20 Edmond	21 Présentation Marie
15 Albert	16 Marguérite	17 Elisabeth	18 Aude	26 Delphine	27 Séverin	28 Avent
22 Cécile	23 Clément	24 Flora	25 Catherine			
29 Saturnin	30 André					

lecture

C'est quand, la fête chez vous ?

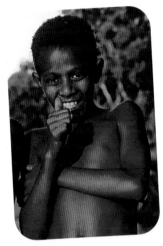

Bonjour.
Je m'appelle Willie Kalmet. J'habite à Port Vila, au Vanuatu. Chez nous au mois de juillet il y a les fêtes de l'Indépendance.

Salut ! Je m'appelle Josée Payet. J'habite à Bras-Panon, sur l'île de la Réunion. C'est le mois de mai et chez nous il y a la fête de la vanille.

Aloha ! Je m'appelle Tiare Pomare. J'habite à Papeete, à Tahiti. Aux mois de juin et juillet il y a la fête Heiva i Tahiti dans toutes les îles de Tahiti.

Ciao ! Moi, je suis Damien. J'habite à Cannes, en France. Ici au mois de mai il y a le Festival International du Film.

Bonjour.
Je m'appelle Brigitte. Je suis en vacances à Sydney, en Australie. Ici c'est le mois de novembre et il y a le festival Pacific Wave.

Salut ! Moi je m'appelle Julie. J'habite à Paris, en France. C'est le 21 juin et il y a la fête de la Musique.

Hello, je m'appelle Repekah. J'habite à Auckland, en Nouvelle Zélande. Ici le 6 février, c'est le jour du Traité de Waitangi.

vocabulaire

les jours de la semaine
- lundi
- mardi
- mercredi
- jeudi
- vendredi
- samedi
- dimanche

les mois de l'année
- janvier
- février
- mars
- avril
- mai
- juin
- juillet
- août
- septembre
- octobre
- novembre
- décembre

les saisons
- automne (m)
- hiver (m)
- printemps (m)
- été (m)

les chiffres 0–31
- zéro
- un
- deux
- trois
- quatre
- cinq
- six
- sept
- huit
- neuf
- dix
- onze
- douze
- treize
- quatorze
- quinze
- seize
- dix-sept
- dix-huit
- dix-neuf
- vingt
- vingt et un
- vingt-deux
- vingt-trois
- vingt-quatre
- vingt-cinq
- vingt-six
- vingt-sept
- vingt-huit
- vingt-neuf
- trente
- trente et un

noms
- an (m) / année (f)
- anniversaire (m)
- calendrier (m)
- Coupe d'Europe (f)
- date (f)
- enfant (m/f)
- fête (f)
- finale (f)
- igname (f)
- jour (m)
- mois (m)
- semaine (f)
- vacances (fpl)

adjectifs
- fou (folle)
- quel(le) ?

adverbes, conjonctions, prépositions
- aujourd'hui
- demain
- là-bas

expressions
- Bon anniversaire !
- Ce n'est pas possible !
- C'est vrai.
- Hourra !
- Oh là là !
- Poisson d'avril !
- Qu'est-ce qu'il y a ?
- Regardez !

Il est quelle heure ?

situations

In this unit you will learn how to:

- use numbers from 0–100
- ask for and give the time
- ask for and give addresses and phone numbers

À Paris

Il est quelle heure ?

Euh… il est quatre heures.

Chouette ! À quatre heures et quart il y a le Tour de France en direct.

Je n'aime pas ça, moi !

Nous, nous aimons bien, Sophie !

Bon, ben… je téléphone à Louise… Quel est ce numéro de téléphone encore ?

C'est le 43 61 22 92.

Merci, Karim !

M. Gaujac est en retard

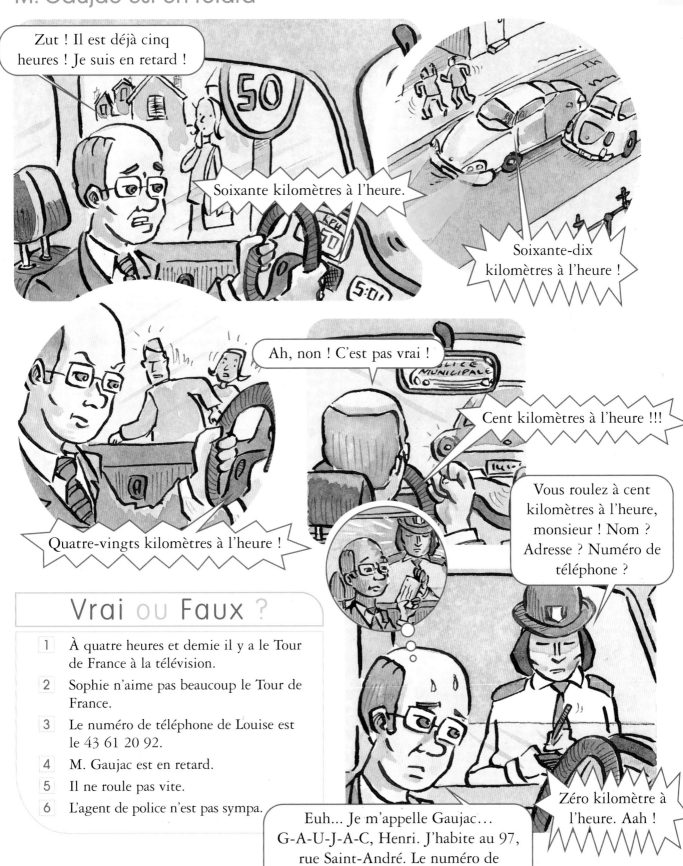

Zut ! Il est déjà cinq heures ! Je suis en retard !

Soixante kilomètres à l'heure.

Soixante-dix kilomètres à l'heure !

Ah, non ! C'est pas vrai !

Cent kilomètres à l'heure !!!

Quatre-vingts kilomètres à l'heure !

Vous roulez à cent kilomètres à l'heure, monsieur ! Nom ? Adresse ? Numéro de téléphone ?

Zéro kilomètre à l'heure. Aah !

Euh... Je m'appelle Gaujac... G-A-U-J-A-C, Henri. J'habite au 97, rue Saint-André. Le numéro de téléphone... euh... c'est le 45 80 74 98.

Vrai ou Faux ?

1 À quatre heures et demie il y a le Tour de France à la télévision.

2 Sophie n'aime pas beaucoup le Tour de France.

3 Le numéro de téléphone de Louise est le 43 61 20 92.

4 M. Gaujac est en retard.

5 Il ne roule pas vite.

6 L'agent de police n'est pas sympa.

manières de dire

Il est quelle heure ?
Quelle heure est-il ?

L'heure officielle

L'heure courante

Il est une heure.

Il est une heure.

Il est neuf heures.

Il est neuf heures.

Il est douze heures.

Il est midi.

Il est quinze heures.

Il est trois heures de l'après-midi.

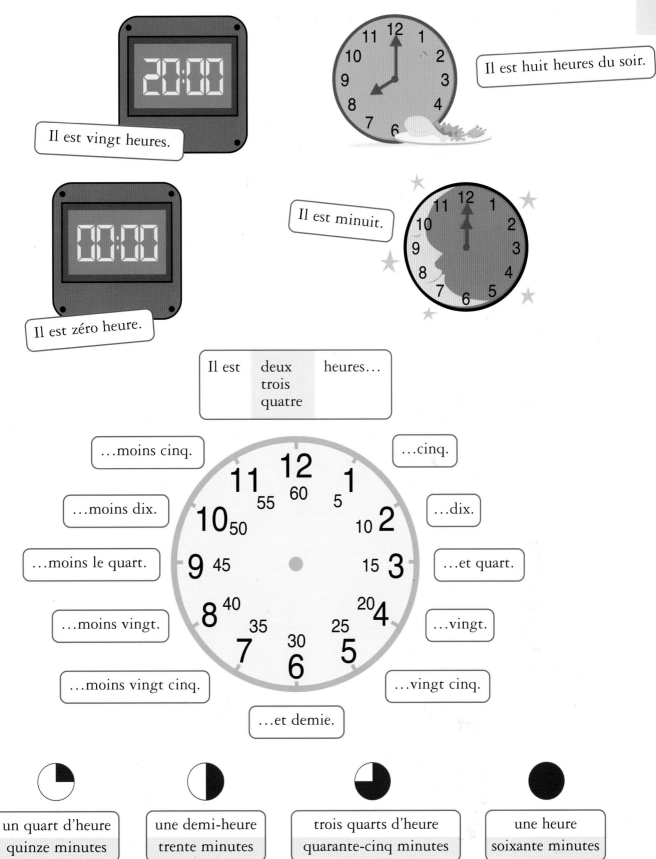

Il est vingt heures.

Il est huit heures du soir.

Il est zéro heure.

Il est minuit.

Il est	deux	heures…
	trois	
	quatre	

…moins cinq.

…cinq.

…moins dix.

…dix.

…moins le quart.

…et quart.

…moins vingt.

…vingt.

…moins vingt cinq.

…vingt cinq.

…et demie.

un quart d'heure
quinze minutes

une demi-heure
trente minutes

trois quarts d'heure
quarante-cinq minutes

une heure
soixante minutes

manières de dire

Cartes de visite

Henri Gaujac
Proprietaire

Restaurant 'Au bon goût'

97, rue Saint-André
75012 Paris
Tel : 01 45 80 74 98

Cécile Michel
Conseillère en publicité

71, avenue des Champs-Elysées
75008 Paris
Tel : 01 45 66 56 88

Antoine Dupont
Agent de voyages

85, boulevard Voltaire
35000 Rennes
Tel : 02 52 21 68 97

60	soixante
61	soixante et un
62	soixante-deux
↓	
69	soixante-neuf
70	soixante-dix
71	soixante et onze
72	soixante-douze
↓	
79	soixante-dix-neuf

80	quatre vingt**s**
81	quatre-vingt-un
82	quatre-vingt-deux
↓	
89	quatre-vingt-neuf

90	quatre-vingt-dix
91	quatre-vingt-onze
92	quatre-vingt-douze
↓	
99	quatre-vingt-dix-neuf
100	cent

activités orales

Work in pairs. Student A asks the time and Student B responds according to the times shown above. Remember to say whether it is morning, afternoon or evening. Then change roles.

A Il est quelle heure ? **B** Il est huit heures du soir.

Work in pairs. Student A asks Student B for the time. Student B chooses one of the clocks shown and tells Student A the time. Student A then identifies the clock on which that time is indicated. Change roles and continue until all of the clock faces have been identified.

A Il est quelle heure ? **B** Il est onze heures vingt.

C'est le numéro 1.

 Work in pairs. Both write down a list of ten times using the 24-hour clock. Then take it in turns to read out one of your times to the other person, who will write it down in figures. At the end compare your lists of figures. If you have communicated well, they will be the same.

18:00   Il est dix-huit heures.
10:15   Il est dix heures quinze.
14:25   Il est quatorze heures vingt-cinq.

 Work in pairs. Student A is a police officer. Student B is a driver who has been caught speeding. Student A has to find out Student B's name, address and phone number and write them down. You can give your real address or make one up. Then change roles.

grammaire

1 À quelle heure ?

To ask what time something is happening we use **à quelle heure… ?**

C'est à quelle heure, le match ?
À quelle heure commence le film ?

To answer we use the preposition **à** + expression of time:

Le match, c'est à quatre heures.
Le film commence à sept heures.

2 L'heure courante / L'heure officielle

When talking to family and friends in French we normally use the 12-hour clock.

Quelle heure est-il ?
Il est sept heures.

To avoid confusion we often add the time of day.

Il est sept heures du matin.
Il est trois heures de l'après-midi.
Il est sept heures du soir.

However, in many official situations the 24-hour clock is used, such as at school, at work, when taking the train or when going to the cinema, so it is important to be able to use this as well.

Le film commence à dix-neuf heures.
(19:00 = 7 heures du soir)
Le train arrive à quinze heures.
(15:00 = 3 heures de l'après-midi)

3 Les verbes réguliers en -er

In this unit we learn some more regular -er verbs. These are **aimer, téléphoner, rouler** and **regarder**. The full present tense of these verbs can be found in the Verb Tables on p. 148.

Je n'aime pas ça, moi !
Nous, nous aimons bien.
Je téléphone à Louise.
Vous roulez à cent kilomètres à l'heure, monsieur !
M. et Mme Gaujac regardent un film à la télévision.

Les fuseaux horaires

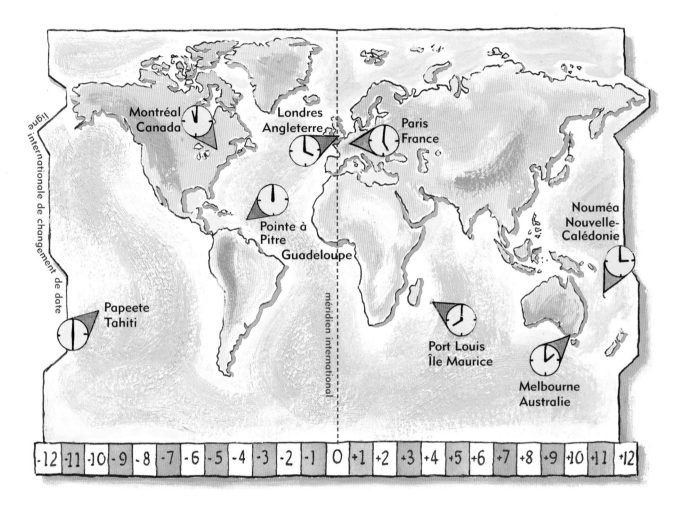

Montréal
Canada

Londres
Angleterre

Paris
France

Pointe à
Pitre
Guadeloupe

Nouméa
Nouvelle-
Calédonie

Papeete
Tahiti

Port Louis
Île Maurice

Melbourne
Australie

ligne internationale de changement de date

méridien international

| -12 | -11 | -10 | -9 | -8 | -7 | -6 | -5 | -4 | -3 | -2 | -1 | 0 | +1 | +2 | +3 | +4 | +5 | +6 | +7 | +8 | +9 | +10 | +11 | +12 |

All time zones across the world are set from Universal Time (*l'heure universelle*) formerly known as Greenwich Mean Time. This is measured by an atomic clock at the Greenwich Observatory in London, situated at 0 degrees of longitude (*le méridien international*).

Australia has three time zones: Eastern Australian Time, Central Australian Time and Western Australian Time. You can look up the time difference between your part of Australia and other countries in the world in your telephone directory.

In the middle of the Pacific Ocean is the International Date Line (*la ligne internationale*

de changement de date) at 180 degrees of longitude. It is exactly halfway around the world from Greenwich. That means that on the western side of this line the time is UT +12 hours, while on the eastern side it is UT −12 hours. Depending on which direction you travel over this imaginary line you could either gain or lose a day of your life!

Remember also that many countries adjust their clocks for daylight saving, moving them forward an hour in spring and back an hour in autumn.

lecture

Voyage autour du monde

France, Paris

Dimanche, dix heures du soir.

97, rue Saint-André.

M. et Mme Gaujac regardent un film à la télévision. C'est dimanche, alors M. Gaujac ne travaille pas. Pierre écoute des CD de musique – le rap, bien sûr.

M. et Mme Bourlon jouent aux cartes, mais Sophie joue avec le GameBoy de Pierre. Le petit Yves est déjà au lit.

Et Louise ? Elle joue du 'djembé' – c'est un petit tam-tam africain, un cadeau de Karim. Elle adore ça.

Australie, Melbourne

Lundi, vers huit heures du matin. C'est un jour de congé en Australie.

20 Mitchell St, Box Hill.

Katie parle déjà avec Michelle au téléphone. Et Mark ? Il est devant l'ordinateur, comme d'habitude : il est en train de chercher des correspondants sur le site Kazibao. M. et Mme Brown sont dans le jardin où ils parlent avec les voisins.

56 Cook St, Footscray.

André est avec des amis mauriciens. Ils préparent une grande fête – aujourd'hui c'est l'anniversaire de Mme Latour.

Nouvelle-Calédonie, Nouméa

Lundi, neuf heures du matin.

23, rue Georges Clémenceau.

Jacques est en classe d'anglais au collège. Mme Canala est au marché. Marie rentre de la plage avec Hélène. M. Canala est au centre Jean-Marie Tjibaou. Il prépare une exposition sur les arts du Pacifique.

vocabulaire

les chiffres 32–100
trente-deux
trente-trois
trente-quatre
trente-cinq
trente-six
trente-sept
trente-huit
trente-neuf
quarante
quarante et un
quarante-deux
quarante-trois
quarante-quatre
quarante-cinq
quarante-six
quarante-sept
quarante-huit
quarante-neuf
cinquante
cinquante et un
cinquante-deux
cinquante-trois
cinquante-quatre
cinquante-cinq
cinquante-six
cinquante-sept
cinquante-huit
cinquante-neuf
soixante
soixante et un
soixante-deux
soixante-trois
soixante-quatre
soixante-cinq

soixante-six
soixante-sept
soixante-huit
soixante-neuf
soixante-dix
soixante et onze
soixante-douze
soixante-treize
soixante-quatorze
soixante-quinze
soixante-seize
soixante-dix-sept
soixante-dix-huit
soixante-dix-neuf
quatre-vingts
quatre-vingt-un
quatre-vingt-deux
quatre-vingt-trois
quatre-vingt-quatre
quatre-vingt-cinq
quatre-vingt-six
quatre-vingt-sept
quatre-vingt-huit
quatre-vingt-neuf
quatre-vingt-dix
quatre-vingt-onze
quatre-vingt-douze
quatre-vingt-treize
quatre-vingt-quatorze
quatre-vingt-quinze
quatre-vingt-seize
quatre-vingt-dix-sept
quatre-vingt-dix-huit
quatre-vingt-dix-neuf
cent

expressions
C'est pas vrai !
Zut !

verbes
aimer
regarder
rouler
téléphoner (à)

noms
adresse (f)
agent (m) de police
après-midi (m)
demi-heure (f)
heure (f)
kilomètre (m)
matin (m)
numéro (m)
numéro (m) de téléphone
quart (m)
quart d'heure (m)
rue (f)
soir (m)

pronoms
ça
ce

adjectifs
demi(e)

**adverbes,
conjonctions,
prépositions**
déjà
encore
en direct
en retard

Un chien, c'est un copain

situations

In this unit you will learn how to:

- describe animals' size, colour and other characteristics
- express possession using *avoir*

À Melbourne

Tiens, voilà Moustache. Il a l'air content aujourd'hui.

Et toi, Michelle, qu'est-ce que tu as ?

Qu'est-ce que vous avez comme animal à la maison ?

Chez nous il y a un chien, un chat, des lapins, un perroquet et un canari… on aime beaucoup les animaux.

Moi, j'ai un petit chien noir. Il s'appelle Toby. Un chien, c'est un copain. Les chats ont mauvais caractère.

Et ça, qu'est-ce que c'est ? C'est un chat mécontent !

Et toi, Mark, qu'est-ce que tu as ?

Moi, j'ai des poissons rouges et un crocodile. Un gros crocodile !

Ouah ! Il n'est pas dangereux ?

Non, pas vraiment. C'est un crocodile en plastique !

À Paris

Oh le beau chien ! Il s'appelle comment ?

Il s'appelle Miki. Il est très gentil.

Tu as un chat aussi ?

Oui, enfin j'ai une chatte. Elle s'appelle Blanche. Elle est blanche et grosse et très snob.

Heu ! Moi, je suis la Princesse Graziella Annabella de Mortadella. Et je ne suis pas grosse ! Je suis ronde et élégante.

Ha! Je ne m'appelle pas Miki. Mon vrai nom, c'est le Prince Dagobert de Montpicon, le Beau, l'Intelligent, le Formidable…

Tu as d'autres animaux ?

Non. C'est tout.

Hin ! hin ! Et moi ? Je me présente : Simone Lasouris.

Et moi, je suis là aussi. Robert Lerat, à votre service ! Hin ! hin ! hin !

Vrai ou Faux ?

1 Chez André, il y a beaucoup d'animaux.
2 Michelle aime beaucoup les chats.
3 Moustache a mauvais caractère.
4 Mark a un gros crocodile.
5 Le chien de Louise n'est pas très gentil.
6 La chatte de Louise s'appelle Blanche.
7 Il n'y a pas d'autres animaux chez Louise.

manières de dire

Voici le chat.

Voilà le chien.

Tu as des animaux à la maison ?

Qu'est-ce que tu as comme animal à la maison ?

Je n'ai pas d'animaux à la maison.

J'ai / Nous avons…

Chez moi / Chez nous il y a…

un perroquet vert et bleu et orange

un(e) chien(ne) noir(e) et blanc(he)

un(e) chat(te) gris(e)

un lapin brun

des canaris jaunes

des poissons rouges

grand(e)

mince

beau / belle

gros(se)

laid(e)

intelligent(e)

petit(e)

1 Survey the other members of the class to find out about their pets. Then present your results as a bar chart to show which animals are the most popular.

A Qu'est-ce que tu as comme animal à la maison ?

B J'ai un chien et deux poissons.

2 Work in pairs. Bring in a picture of your pet or favourite animal. Student A asks Student B questions about the animal and Student B responds. Then change roles. Finally, describe your partner's animal to the rest of the class.

A Qu'est-ce que tu as comme animal à la maison ?

Comment il / elle s'appelle ?

Comment il / elle est ?

B J'ai…

Il / Elle s'appelle…

Il / Elle est …

3 heures du matin

11 heures du matin

1   Le présent du verbe avoir

The irregular verb *avoir* is frequently used. It indicates possession.

Qu'est-ce que vous avez comme animal ?
Moi, j'ai un chien.
Nous avons des chats.

avoir / **to have**

j'ai	I have		nous avons	we have
tu as	you have		vous avez	you have
il a	he has		ils ont	they have
elle a	she has		elles ont	they have
on a	we have			

The verb *avoir* can also be used to indicate the characteristics of people or animals.

Le chat a l'air content.
Les chats ont mauvais caractère.

2   Je n'ai pas de...

In French, when we say we don't have something, we don't use the indefinite article as in the English phrase *I don't have a pet.* We use the preposition **de** before the noun.

Je n'ai pas de chat à la maison.
Elle n'a pas de chien.

The same rule is used even if the noun is in the plural.

Nous n'avons pas d'animaux.

3   Les adjectifs (position et accord)

Most adjectives come after the noun they describe and adjectives of colour always do.

un chien noir
un chat blanc
un crocodile dangereux

Some adjectives however, come before the noun.

le gros crocodile
le beau perroquet
le petit chat
le grand kangourou
d'autres animaux

rappel Adjectives must agree in gender and number with the noun they describe. (See Unit 1, p. 7.)

	masculin	féminin
singulier	un chat blanc un chien noir	une chatte blanche une chienne noire
pluriel	des chats blancs des chiens noirs	des chattes blanches des chiennes noires

4 Le pluriel des noms

 rappel Plural nouns are usually formed by adding an **-s** or **-x** to the singular form (see Unit 2, p. 14).

un chien des chiens

un oiseau des oiseaux

un animal des animaux

There are some exceptions to this rule, however. The plural form for the French noun **animal** is irregular: instead of adding **-s**, the **-al** ending changes to **-aux**.

Les animaux – symboles des pays

Most countries have a certain animal associated with them. When people think of Australia they think of the kangaroo; for New Zealand it is the kiwi that comes to mind.

For France, it is the rooster, particularly for sports teams. The small but courageous rooster, bloodied but never beaten, symbolises for the French the spirit of their sports teams. Even in other countries, teams which have the red, white and blue of the French flag are often known as the Roosters.

le coq gaulois

In New Caledonia, the cagou is the national emblem. Because the cagou, like the kiwi, cannot fly, it often falls victim to introduced animals like dogs and is now an endangered species.

The dodo was a large flightless bird which lived on the island of Mauritius. It too had no natural predators. When sailors, who first came to Mauritius in the 17th century, were short of food, it is thought that they found the dodos and killed and ate them in great numbers. The dodo became extinct not long after the island was settled by the Dutch.

le cagou

le dodo

lecture

Les Français et les animaux

Les Français aiment beaucoup les animaux. Dans 52% des foyers, c'est-à-dire, dans un foyer sur deux, il y a un animal familier.

Qu'est-ce qu'ils aiment comme compagnon ? Les chiens et les chats sont de loin les animaux préférés.

28% un chien
26% un chat
10% des poissons
6% un oiseau
5% un rongeur

Comment expliquer le choix entre chat ou chien ? Les commerçants et les policiers ont souvent des chiens…

Moi, j'ai un chien. Il garde le magasin nuit et jour. Il est gentil, il est sympa… mais, il est grand, il est noir et il a l'air féroce.

Papillon. C'est un nom féroce, ça ??

Les journalistes et les professeurs ont souvent des chats :

Moi, je suis journaliste. J'ai des heures irrégulières. Voilà pourquoi j'ai un chat. Les chats ont un caractère indépendant. Si je ne suis pas là, le chat n'est pas triste. Il a l'appartement, il est confortable, il est content…

Oui, c'est vrai, je ne suis pas comme les chiens. Je suis indépendant. Mais si je ne mange pas, attention !!

Les familles ont souvent un animal parce que les enfants aiment beaucoup jouer avec eux.

Mais nous, on n'aime pas toujours jouer ! Hé, attention, les enfants !

Non, pas la douche ! Non, non !!

Oh, qu'il est mignon !

Mais aujourd'hui les jeunes couples commencent parfois par adopter un animal avant d'avoir le premier enfant – peut-être parce que c'est plus facile !

Les animaux parlent aussi

Bêêê !

Cui, cui !

Coin, coin !

Meuh !

Cot cot cot !

Ouah ! Ouah!

Cocorico !

Miaou !

vocabulaire

adjectifs
autre (d'autres)
beau (belle)
dangereux (-euse)
élégant(e)
gentil(le)
grand(e)
gros(se)
intelligent(e)
laid(e)
mauvais(e)
mécontent(e)
mince
petit(e)
rond(e)
snob
vrai(e)

verbes
– avoir

adjectifs (couleur)
blanc(he)
bleu(e)
brun(e)
gris(e)
jaune
noir(e)
orange
rouge
vert(e)

expressions
– À votre service.
– C'est tout.
– Qu'est-ce que… ?
– Tiens !

noms
– animal (m)
– caractère (m)
– canari (m)
– chat (m) / chatte (f)
– chien (m) / chienne (f)
– crocodile (m)
– lapin (m)
– oiseau (m)
– perroquet (m)
– plastique (m)
– poisson (m) rouge

**adverbes,
conjonctions,
prépositions**
il y a
voici
voilà
vraiment

La France et l'Europe

ONE IMPORTANT DIFFERENCE between France and Australia is that our country covers a whole continent. You don't cross a national border unless you go overseas. In Australia you would have to travel for several days by car or train to go from one side of the country to the other.

France, however, is just one of the countries on the continent of Europe. If you travel more than a few hours by road or rail from Paris, you will arrive in another European country. People will be speaking a different language; the street signs, houses, shops and public buildings will all look different. This change takes place quickly: one minute you are in France, the next you are across the border in Italy, Germany, Spain, Belgium or Luxembourg.

Amsterdam 434 km

Bruxelles 265 km

Berlin 878 km

Londres 344 km

Paris

Vienne 1030 k

Strasbourg 405 km

Lisbonne 1420 km

Genève 402 km

Madrid 1043 km

Rome 1100 km

Les grandes villes d'Europe

Athènes 2088 kr

L'Union européenne

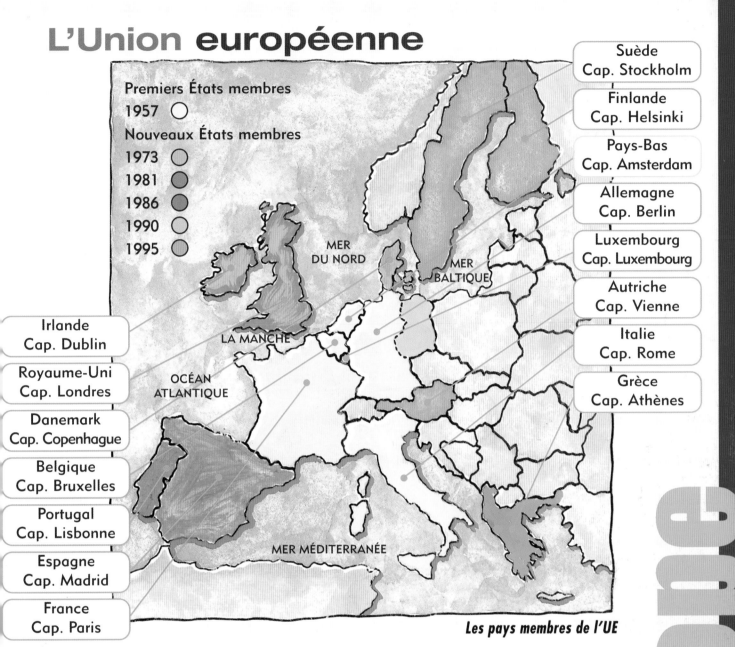

Premiers États membres
1957 ○

Nouveaux États membres
1973 ○
1981 ○
1986 ○
1990 ○
1995 ○

MER DU NORD

MER BALTIQUE

LA MANCHE

OCÉAN ATLANTIQUE

MER MÉDITERRANÉE

Suède
Cap. Stockholm

Finlande
Cap. Helsinki

Pays-Bas
Cap. Amsterdam

Allemagne
Cap. Berlin

Luxembourg
Cap. Luxembourg

Autriche
Cap. Vienne

Italie
Cap. Rome

Grèce
Cap. Athènes

Irlande
Cap. Dublin

Royaume-Uni
Cap. Londres

Danemark
Cap. Copenhague

Belgique
Cap. Bruxelles

Portugal
Cap. Lisbonne

Espagne
Cap. Madrid

France
Cap. Paris

Les pays membres de l'UE

IN THE FIRST HALF of the twentieth century, the countries of Europe fought each other in two major wars: the First World War (1914-18) and the Second World War (1939-45). Tens of millions of people were killed and many European cities were damaged by heavy bombing. The post-war leaders of France, Italy, Germany, the Netherlands, Belgium and Luxembourg met to discuss ways to cooperate peacefully to avoid future conflicts.

They began a series of discussions which led to the forming of a common market where they could more easily trade with each other. This was marked by the signing of the Treaty of Rome in 1957. The common market was so successful that other countries wanted to join and gradually the organisation grew and expanded its goals.

By 1995 there were fifteen member countries and the organisation had been through several name changes including the European Economic Community (EEC), the European Community (EC) and its current name, the European Union (EU).

l'Europe

There are three main decision-making bodies in the EU:

- the European Parliament (*le Parlement européen*), elected every five years by the citizens of the EU and based at the *Palais de l'Europe* in Strasbourg, France.

- the Council of the European Union (*le Conseil européen*), consisting of the heads of government of the member countries, who meet at least twice a year.

- the European Commission (*la Commission européenne*), which is made up of 20 commissioners, reappointed every five years, and is based in Brussels.

Other important EU institutions include the European Central Bank in Frankfurt and the European Court of Justice in Luxembourg.

La zone euro

The Treaty of Maastricht, signed in 1992, paved the way for an even closer union of countries, leading to the formation of a single currency. In January 2002 the euro (€) became the only legal currency for all European Union countries except Denmark, Sweden and the United Kingdom. These countries have chosen to keep their old currencies.

L'euro, la nouvelle monnaie d'Europe

L'élargissement de l'UE

Many other countries are keen to join the EU as they believe they would benefit economically and socially. Most of these countries were formerly part of the 'Eastern bloc' controlled by the USSR. If all of these countries were permitted to join, this enlargement would increase the population of the EU by 100 million, making a total of around 500 million, twice the population of the United States.

Les drapeaux des pays européens

Le drapeau de l'Union européenne

Être européen, qu'est-ce que cela veut dire ?

Being a European Union citizen means that you can have a European passport and live and work in any country within the European Union. Of course, to be able to do this you would need to speak another European language. EU-funded exchange schemes such as Erasmus and Eureka make it easier for people to spend time studying or working in another European country.

activités

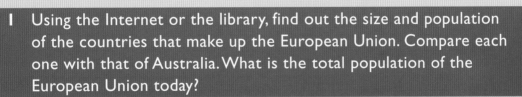

1 Using the Internet or the library, find out the size and population of the countries that make up the European Union. Compare each one with that of Australia. What is the total population of the European Union today?

2 Using newspapers or the Internet, find out what recent developments there have been in the European Union.

   • Have any new countries joined?

   • What other changes have occurred?

   • What conflicts have arisen between the member countries of the EU?

Ça, c'est ma famille

In this unit you will learn how to:

- ask and answer questions about families
- express possession using *mon*, *ma*, *mes*
- ask and answer questions about age

unité 7

situations

À Melbourne

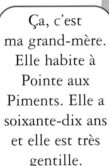

> Qui est-ce ?

> Ça, c'est ma grand-mère. Elle habite à Pointe aux Piments. Elle a soixante-dix ans et elle est très gentille.

> Et là, c'est ton grand-père ?

> Oui, c'est lui. Et ça c'est sa maison.

> Et la petite fille ?

> C'est ma cousine Stéphanie : elle a dix ans. Elle habite chez mes grands-parents pour le moment : ses parents sont en France.

> C'est comme moi – mon père est en France. Et moi, je suis en Australie. Tu as d'autres cousins ?

> Oui, Béatrice, elle a vingt-deux ans. Elle habite à Perth. Et puis son frère, Yvan, qui est à l'île Maurice. Il travaille pour son père là-bas.

À Paris

Les enfants, j'ai une bonne nouvelle ! Tante Elvire et cousine Émilie arrivent dimanche. Elles passent une semaine chez nous. Vous êtes contents ?

Euh… elle est chouette, tante Elvire, mais elle critique beaucoup !

« Oh là là, Sophie. Elle est trop grosse. Elle mange trop de chocolats. » C'est pas très gentil, ça.

Mais c'est vrai. Elle mange trop de chocolats.

Et cousine Émilie ? Elle est pénible, elle parle tout le temps !

Oui ! Insupportable !

Et en plus, elle joue sur mon ordinateur, elle écoute mon discman, elle tourmente l'oiseau. Elle est insupportable !

Mais voyons, les enfants ! Un peu de respect pour la famille !

OK, maman.

Vrai ou Faux ?

1. Les grands-parents d'André habitent à l'île Maurice.
2. Sa cousine Stéphanie est en France avec ses parents.
3. Sa cousine Béatrice est à Perth.
4. Le père de Michelle habite en Australie.
5. Tante Elvire est gentille avec tout le monde.
6. Cousine Émilie est calme comme enfant.
7. Yves et Sophie sont contents de la visite.

manières de dire

le grand-père (papi)
la grand-mère (mamie)
les grands-parents

le père (papa)
la mère (maman)
les parents
le mari
la femme

l'oncle (tonton)
la tante (tatie)

le petit-fils
la petite-fille
les petits-enfants

le cousin
la cousine
les cousins

le neveu
la nièce
les neveux

le fils
la fille
le frère
la sœur
les enfants

L'arbre généalogique d'André Latour

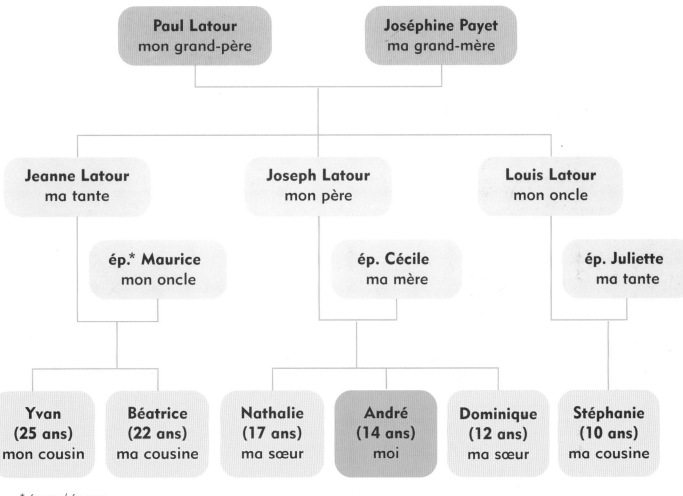

Paul Latour
mon grand-père

Joséphine Payet
ma grand-mère

Jeanne Latour
ma tante

Joseph Latour
mon père

Louis Latour
mon oncle

ép.* Maurice
mon oncle

ép. Cécile
ma mère

ép. Juliette
ma tante

Yvan
(25 ans)
mon cousin

Béatrice
(22 ans)
ma cousine

Nathalie
(17 ans)
ma sœur

André
(14 ans)
moi

Dominique
(12 ans)
ma sœur

Stéphanie
(10 ans)
ma cousine

* époux / épouse

activités orales

1 Form groups of three or four. Make a diagram of your family tree. Show it to the people in your group and introduce your family.

> Ça c'est ma famille. Voilà mon père, il s'appelle…, et là, c'est ma mère, elle s'appelle… J'ai un frère, il s'appelle… et il a… ans. J'ai deux sœurs, elles s'appellent… Et ça c'est moi…

2 Bring in photographs of members of your extended family. Show your photographs to the people in your group and introduce your family.

grammaire

 1 Exprimer la possession (mon, ma, mes)

! rappel

To express possession in French we can use **de** (*of*). (See Unit 4, p. 34.)

le frère de Katie
la maison de mon grand-père
la famille d'André

We can also use possessive adjectives such as *my*, *your*, *his*, *her*, *our* and *their*. In English the choice of a possessive adjective depends only on the owner.

In French, however, it also changes according to whether the noun is masculine, feminine, singular or plural, just like other adjectives.

	masculin singulier	féminin singulier	masculin pluriel	féminin pluriel
my	mon **frère**	ma **sœur**	mes **frères**	mes **sœurs**
your*	ton **frère**	ta **sœur**	tes **frères**	tes **sœurs**
his / her	son **frère**	sa **sœur**	ses **frères**	ses **sœurs**
our	notre **frère**	notre **sœur**	nos **frères**	nos **sœurs**
your**	votre **frère**	votre **sœur**	vos **frères**	vos **sœurs**
their	leur **frère**	leur **sœur**	leurs **frères**	leurs **sœurs**

*For someone that you would refer to as **tu**.

For more than one person, or someone you would refer to as **vous.

Note that French doesn't have separate words for *his* and *her*.

son frère — his / her brother
sa sœur — his / her sister

When the noun begins with a vowel or a silent **h**, we use **mon**, **ton** and **son** in the singular for both masculine and feminine.

mon oncle — mon adresse
ton oncle — ton adresse
son oncle — son adresse

2 Demander et dire son âge

In French when talking about our age we use **avoir**, rather than **être**. We also have to include the word for *years* in the answer.

Tu as quel âge ?
J'ai treize ans.

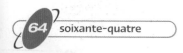

Ma famille est bizarre

Mon père est employé de banque. Mais sa vraie profession, c'est chanteur pour un groupe de rock.

Ma mère est championne régionale de karaté. Crac ! La table est cassée. Crac ! Une chaise. Haiyaaahhh ! Elle saute par la fenêtre ! Notre maison, c'est une ruine.

Ma grande sœur est une extraterrestre. Elle a les cheveux verts. Elle a des vêtements verts. Elle a des verres de contact verts. C'est une Martienne !

Et mes grands-parents ? Papi est un fanatique de moto. Tous les week-ends il roule avec ses copains sur l'autoroute. Son record de vitesse, c'est 200 kilomètres à l'heure. Et il a soixante-quinze ans !

Comme ça, nous restons jeunes.

Et ma grand-mère ? Elle a soixante-dix ans et elle est parachutiste !

Et moi ? Je suis normal. Je reste tranquillement dans ma chambre.

lecture

55 Flinders Street
Brighton   Vic   3186
Australie

le 3 mars

Chère Mamie,

Enfin une lettre de moi ! Désolée du retard, mais je suis très occupée avec ma vie ici en Australie – l'école, les amis, les activités… Comment ça va chez toi à Nîmes ? À Melbourne tout va bien.

Voici quelques photos de mes amis. D'abord, mes amis de Nouméa. Le garçon, c'est Jacques Canala. Il a 14 ans, et il est très sympa. La grande fille, c'est sa sœur, elle s'appelle Marie et elle a 18 ans.

Puis les amis de Melbourne. Le garçon avec ses deux sœurs, c'est André : sa famille est d'origine mauricienne. Sa grande sœur s'appelle Nathalie, sa petite sœur s'appelle Dominique, elle a 12 ans.

Ensuite il y a une photo de Katie et Mark, deux Australiens qui sont de retour en Australie depuis quelques mois seulement. Leur chat Moustache est là avec eux et puis il y a leurs parents.

Et finalement, c'est moi, avec Toby. Il est beau, mon chien, tu es d'accord ?

J'ai des copains formidables et la meilleure, c'est que nous parlons français quand nous sommes ensemble. C'est marrant !

Comment va papa ? Il est sans doute en voyage, comme d'habitude.

Grosses bises de nous deux,

Michelle

INFOS

La famille

In the past, French families were large, extended groups where uncles, aunts, cousins and grandparents lived close by and visited regularly. In modern France, these extended family ties are not so strong. Indeed, the notion of marriage itself is much less popular in France today. The number of unmarried people is growing, as is the number of people who live alone (*célibataires*). In quite a number of French families the parents are not legally married. This is known as *l'union libre*.

The French family today tends more towards the 'nuclear' family: mother, father and one or two children. It is quite common for families to have only one child (*un(e) enfant unique*), while families with more than three children are rare. As in Australia, the divorce rate in France is high, which means that 'blended' families (*les familles recomposées*) and single-parent families (*les familles monoparentales*) are becoming more numerous. French children are now more likely to talk about their *demi-frères* and *demi-sœurs* (half-brothers and sisters) than in the past.

vocabulaire

noms (famille)
- cousin(e) (m/f)
- enfant (m/f)
- épouse (f)
- époux (m)
- famille (f)
- femme (f)
- fille (f)
- fils (m)
- frère (m)
- grand-mère (f)
- grand-père (m)
- grands-parents (mpl)
- mari (m)
- mère (f) (maman)
- neveu (m)
- nièce (f)
- neveux (mpl)
- oncle (m) (tonton)
- parents (mpl)
- père (m) (papa)
- petit-fils (m)
- petite-fille (f)
- petits-enfants (mpl)
- sœur (f)
- tante (f) (tatie)

verbes
- arriver
- critiquer
- écouter
- manger
- passer
- tourmenter
- travailler

pronoms
- lui
- qui

adverbes, conjonctions, prépositions
- beaucoup de
- trop de
- un peu de

expressions
- Voyons !

noms
- discman (m)
- maison (f)
- moment (m)
- nouvelle (f)
- respect (m)

adjectifs
- bon(ne)
- content(e)
- insupportable
- pénible
- unique

adjectifs possessifs
- mon / ma / mes
- ton / ta / tes
- son / sa / ses
- notre / nos
- votre / vos
- leur / leurs

Comment sont-ils ?

In this unit you will learn how to:

- describe people's appearance
- describe clothing
- describe personality

situations

À Paris

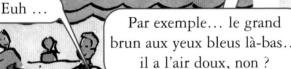

Qu'est-ce que tu aimes comme type de garçon ?

Euh …

Par exemple… le grand brun aux yeux bleus là-bas… il a l'air doux, non ?

Lui ? Ah, non … il est triste !

Ou encore… le blond aux cheveux courts et frisés en train de parler avec Pierre.

Non… pas assez grand.

Ben, alors… le garçon avec des lunettes assis sur le banc ?

Non… trop timide.

Tu es difficile ! Le rouquin avec un tee-shirt orange et un jean noir… sympa, non ?

Ah non, il est vraiment laid !

Oh là là… Et lui, alors ? Comment est-ce que tu trouves ce garçon ?

Ah bien sûr, Karim, c'est un garçon vraiment cool !

À la gare du Nord

Ah oui… il te plaît ?

Et comment ! Il est grand, beau, sympa… !

Tu plaisantes… il est moche ! Pour commencer, il a un gros nez. Et les yeux… ils sont trop petits. Les oreilles, par contre – de vrais choux-fleurs !

Tiens – regarde !

Qui est-ce ?

C'est Fred Fury. Il passe au Zénith la semaine prochaine ! Chic !

Qu'est-ce que tu es méchant !

Et tante Elvire ? Où elle est ?

Elle est là-bas. Elle a une nouvelle coiffure. Maintenant elle a les cheveux blonds et frisés.

Toujours à la mode, notre tante…

Et cousine Émilie ? Est-ce qu'elle est là ?

Non. Mais regarde la blonde au jean rouge !

Avec le pull blanc ?

Oui. Et elle porte des lunettes noires. Quel chic !

Mais Yves, c'est ta cousine Émilie ! Elle est grande maintenant !

Cousine Émilie ?

Non, ce n'est pas possible !

Vrai ou Faux ?

1. Sophie aime bien le style du grand brun.
2. Le garçon aux cheveux courts et frisés est très grand.
3. Louise aime bien le style du garçon aux lunettes.
4. Louise trouve le garçon aux cheveux roux très beau.
5. Yves et Sophie sont d'accord : Fred Fury est beau.
6. Tante Elvire a toujours le même style de cheveux.
7. Yves trouve la fille aux lunettes noires très chic.

manières de dire

Il / Elle a les cheveux…
Le garçon / La fille aux cheveux…

le brun / la brune
le blond / la blonde
le rouquin / la rouquine

longs courts mi-longs raides frisés

blonds châtains bruns noirs roux gris

Il / Elle a les yeux…
Le garçon / La fille aux yeux…

Il / Elle porte…

bleus

verts

marron

noirs

des lunettes

un jean rouge

des lunettes noires

un pull blanc

un tee-shirt orange

une casquette bleue

des baskets noires

Le visage

les cheveux

l'œil (m) (les yeux)

l'oreille (f)

le nez

la bouche

Le corps

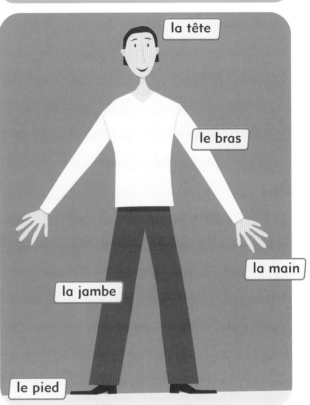

la tête

le bras

la main

la jambe

le pied

activités orales

1 Work in pairs. Student A chooses one of the pictures below and describes the person, giving an opinion on their character. Student B has to guess which number it is. Then change roles and continue until all the pictures have been identified.

 1
 2
 3
 4
 5
 6

2 Work in groups of four or five. Each member of the group prepares a description of a person known to the group and reads it out. It could be a famous musician, actor or sports star, or another member of the class. The others have to guess who is being described.

grammaire

1 Poser des questions (suite)

rappel

When intonation is used to ask a question, the word order of the sentence is not changed. (See Unit 1, p. 6.)

You can also use the expression **est-ce que… ?** and the word order stays the same.

Or we can use this structure where the subject pronoun comes after the verb and is linked to it with a hyphen:

Tu es française ?
Il a l'air romantique, non ?
Elle est où ?

Est-ce que tu es française ?

Es-tu française ?
Où est-elle ?

2 Le féminin, le pluriel des adjectifs

To form a feminine adjective, in most cases, we add **-e** to the masculine form.

When the adjective already ends with **-e**, there is no change.

When the adjective ends with **-eux**, the feminine ending is **-euse**.

When the adjective ends with **-on**, the feminine ending is **-onne**.

Note also the following feminine forms of adjectives:

Some adjectives are invariable, for example **sympa**, **super**, **marron**.

To form plural adjectives, follow the same rules as those for noun plurals (see Unit 2, p. 14 and Unit 6, p. 52).

masculin	féminin
grand	grande
formidable	formidable
dangereux	dangereuse
mignon	mignonne

masculin	féminin
gentil	gentille
gros	grosse
vieux	vieille
beau	belle

3 La préposition à + l'article défini

When we use the preposition **à** with the definite articles **le, la, l'** and **les** we use the following forms:

à + le	=	au	au nez
à + la	=	à la	à la bouche
à + l'	=	à l'	à l'oreille
à + les	=	aux	aux yeux

This construction is often used when describing people's clothes or appearance. It is an alternative to a sentence using **avoir**.

Le grand brun aux yeux bleus.
La blonde au jean rouge.

INFOS

Des Français célèbres

Catherine **Deneuve** is one of France's most respected actors. Her face was a model for Marianne (the symbol of the French Republic) in the 1980s. She began her career in 1956 at the age of 13.

Elle est grande, belle, mince. Elle a les cheveux blonds et les yeux couleur noisette. Elle est actrice.

Claudie André-**Deshays** became France's first cosmonaut in a Franco-Russian space mission in 1996, at the age of 39.

Elle a les cheveux châtains et les yeux marron. Elle est mince mais très en forme. Elle est docteur et cosmonaute.

Zinedine **Zidane** was born and grew up in Marseilles. He started his career as a professional football player at the age of 17. He captained the French football team to victory in the 1998 World Cup and the Euro 2000 championships.

Il est grand, mince et sportif. Il a les cheveux bruns et courts, et les yeux marron. Il est joueur de football. Il est d'origine algérienne.

Mc **Solaar** is a rapper whose poetic lyrics talk about the problems of life in the Parisian suburbs.

Il est noir. Il a les cheveux très courts et les yeux noirs. Il est rappeur. Il est d'origine sénégalaise.

Comment sont-ils ? Les animaux racontent

Toby, le chien de Michelle

Comment est-elle, Michelle ? Eh bien, elle est mignonne. Elle a les cheveux roux et les yeux verts. Elle est grande et mince. Nous sommes vraiment de bons copains – elle joue avec moi tous les jours dans le jardin. Et elle est très sympa avec tout le monde. Voilà pourquoi elle a beaucoup d'amis.

Moustache, le chat de la famille Brown

Comment sont les deux jeunes personnes qui habitent chez moi ? Katie a les cheveux longs, blonds et frisés. Elle est très sportive. Mark a les cheveux châtains et courts, un peu décolorés par le soleil. C'est normal, il est tout le temps à la plage, sauf quand il est devant l'ordinateur. Ils sont grands et ils ont tous les deux les yeux bleus. Bref, ils sont calmes et bien élévés. En plus (et c'est l'essentiel), ils sont corrects avec moi.

Jules, le perroquet de la famille Bourlon

Je me présente, je m'appelle Jules (le beau Jules c'est mon vrai titre). Comment est la belle Sophie ? Ben… elle est assez grande, elle a les cheveux châtains et les yeux verts. Elle est marrante, elle a un bon rire. Elle est gentille avec son frère, Yves. Elle travaille bien en classe. Une petite remarque, pourtant : à mon avis, elle mange trop de chocolats.

Braquage à la banque !

La police recherche deux bandits. Un témoin donne la description suivante :

« Ils sont deux. Un homme et une femme. L'homme est un grand blond très mince. Il a les yeux bleus. Il a les cheveux très courts, coupés en brosse. Il a le nez long et de très grandes oreilles. Il porte un jean gris et un pull vert. Il porte l'argent volé dans un sac blanc avec le logo Sportivo dessus. Attention ! Il est armé d'un pistolet. Il a l'air méchant et dangereux.

« La femme au contraire a l'air sympathique. Elle est même très belle. Elle est petite et brune et elle a les cheveux longs et raides. Elle porte un jean bleu et des baskets noires. Elle porte aussi des lunettes noires et une casquette bleue. C'est une casquette de baseball. Elle n'est pas armée, mais elle a l'air très sportive. C'est peut-être une karaté-ka. »

Regardez les six personnes ci-dessous. Identifiez les deux bandits.

vocabulaire

noms
- bouche (f)
- bras (m)
- cheveux (mpl)
- corps (m)
- jambe (f)
- main (f)
- nez (m)
- œil (m) / yeux (mpl)
- oreille (f)
- pied (m)
- rouquin(e) (m/f)
- tête (f)

- banc (m)
- baskets (fpl)
- casquette (f)
- chou-fleur (m)
- jean (m)
- lunettes (fpl)
- pull (m)
- style (m)
- tee-shirt (m)
- type (m)

expressions
- Chic !
- Il te plaît ?
- Quel chic !
- Tu plaisantes !

adjectifs
avoir les cheveux
- blonds
- bruns
- châtains
- gris
- noirs
- roux

avoir les cheveux
- courts
- longs
- mi-longs
- frisés
- raides

adjectifs
avoir les yeux
- bleus
- verts
- marron
- noirs

avoir l'air (m) doux

être
- à la mode
- assis(e)
- chic
- cool (fam.)
- moche (fam.)

verbes
- porter
- trouver

Bon appétit !

situations

In this unit you will learn how to:
- say what food and drinks you like or dislike
- say what you usually eat and drink
- offer, accept and refuse snacks and drinks

Les copains de Melbourne

Moi, j'aime manger des sandwichs : au jambon, au fromage, au Vegemite. Comme boisson, j'aime l'eau minérale et les jus de fruits – surtout le jus d'orange et le jus de pomme. Je déteste le Coca-Cola, moi !

Je n'aime pas beaucoup le pain : j'adore les frites et le poulet rôti. Avec ça, j'aime boire du Coca, ou bien de la limonade, ou encore de l'Orangina. Je n'aime pas beaucoup le thé. Je déteste le café.

Moi, j'adore le chocolat, les bonbons, les biscuits – tout ce qui est sucré, quoi ! Comme boisson ? Je n'aime pas les boissons chaudes, comme le thé ou le café. J'aime les boissons froides seulement, surtout le lait au chocolat. J'aime bien le milkshake australien.

J'aime beaucoup les plats un peu épicés comme le curry de poulet ou le rougail saucisses. J'adore le thé : le thé à la vanille, les thés glacés au citron ou à la pêche. Je déteste les sandwichs, surtout au Vegemite !

Les copains de Paris

Moi, j'adore manger des steaks saignants – et des frites bien chaudes : des frites au ketchup, bien sûr. J'aime boire de tout.

J'aime beaucoup les salades composées, surtout en été. C'est facile à digérer et bon pour la ligne ! Et j'aime boire de l'eau minérale : de l'eau plate, pas gazeuse.

Du ketchup avec des frites – quelle horreur !

Moi j'aime le pain, alors j'aime manger des sandwichs : jambon-beurre, jambon-fromage, saucisson… Et j'adore boire des jus de fruits sucrés comme l'Orangina.

Vrai ou Faux ?

1. Katie n'aime pas les sandwichs, mais elle aime le Coca-Cola.
2. Mark adore le pain et les boissons chaudes.
3. Michelle aime beaucoup les aliments sucrés.
4. André aime manger des plats mauriciens.
5. Sophie aime les salades composées et l'eau minérale.
6. Pierre n'aime pas manger des steaks avec des frites.
7. Louise n'aime pas du tout le pain.
8. Karim a une préférence pour des plats nord-africains.

Mon plat préféré, c'est un bon couscous, avec de l'harissa ! Ou bien, un méchoui. J'aime boire du thé à la menthe.

C'est piquant, ça !

manières de dire

Qu'est-ce que	tu aimes	boire ?
	vous aimez	

Qu'est-ce que	tu aimes	manger ?
	vous aimez	

J'adore...   ✓ ✓ ✓ ✓
J'aime beaucoup...   ✓ ✓ ✓
J'aime...   ✓ ✓
J'aime un peu...   ✓

Je n'aime pas beaucoup...   ✗
Je n'aime pas...   ✗ ✗
Je n'aime pas du tout...   ✗ ✗ ✗
Je déteste...   ✗ ✗ ✗ ✗

le café

le thé

l'eau minérale

le chocolat chaud

le jus d'orange

les frites

les croissants

les sandwichs

C'est délicieux.   ☺ ☺ ☺ ☺
C'est bon.   ☺ ☺
Ce n'est pas bon.   ☹
C'est sans goût.   ☹ ☹
C'est dégoûtant. Berk !   ☹ ☹ ☹ ☹

Non, merci.
Désolé(e), je
n'aime pas ça.

Un thé, Marie ?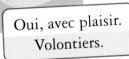

Un jus d'orange ?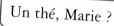

Oui, avec plaisir.
Volontiers.

activités orales

 1 Interview four or five other students. Ask them about the things they like to eat and drink.

 A Qu'est-ce que tu aimes boire ?

B J'adore le Coca-Cola.

Berk ! C'est dégoûtant !

Qu'est-ce que tu aimes manger ?

J'aime les sandwichs au jambon.

Mmm... c'est bon.

 2 Then tell the rest of your class what the people you interviewed like to eat and drink.

A Il aime manger des croissants.

Il aime boire du chocolat chaud.

grammaire

1 Le verbe au présent + l'infinitif

When two verbs are used together, the second verb takes the form of the infinitive.

J'aime boire de la limonade.
Il adore manger des frites.
Elle déteste être en retard.

2 Le partitif (du, de la, de l', des)

When talking about food and drink in French you must include the word for *some* or *any*. This is formed by using **de** + article constructions. In English this word is often left out.

J'aime manger du poulet.
Vous aimez boire de la limonade ?
Il aime boire de l'eau minérale.
Tu aimes manger des frites ?

| **du** | before masculine nouns |

| **de la** | before feminine nouns |

| **de l'** | before nouns beginning with a vowel |

| **des** | before plural nouns |

3 Les pronoms personnels toniques

In order to give emphasis, these pronouns are used in front of the subject pronoun:

Here is the full list of emphatic pronouns with their subject pronoun.

Moi, je déteste le café.
Et toi, tu aimes les chocolats ?

Moi, je…	Nous, nous…
Toi, tu…	Vous, vous…
Lui, il…	Eux, ils…
Elle, elle…	Elles, elles…
Nous, on…	

4 Les adjectifs (suite)

An adjectival phrase is a way of qualifying or describing a noun. It is frequently used when talking about food or cooking. In these expressions, the adjectival description is formed by using the preposition **à** + definite article (**le / la / l' / les**) + noun.

les sandwichs au jambon
le thé à la vanille
une tarte aux pommes

Sometimes these expressions become shortened through frequent usage:

un sandwich jambon-beurre

In these expressions, the adjectival phrase is introduced by the preposition **de** + noun.

le jus d'orange
les jus de fruits

Le petit déjeuner

For most French people, breakfast is coffee, hot chocolate or tea and a slice of bread and jam (*une tartine*). However, 18–24 year olds are more likely to eat fruit and cereals for their breakfast than other age groups. At the weekend, when there is more time to go to the bakery (*la boulangerie*), more croissants and pastries are eaten.

Le déjeuner

About 75% of French people eat lunch at home during the week and the percentage is of course even higher at weekends. A typical lunch consists of three courses: a light entrée, a main course of meat, chicken or fish, and a dessert. It is still traditional to eat fresh bread with meals.

Le dîner

The evening meal at home is generally lighter than lunch. When taken at a restaurant or at someone else's home, however, it is likely to be a heavier, more formal meal of several courses.

Chez Charles

8 rue du Chat perdu
75014 Paris

MENU À PRIX FIXE

entrée & plat ou plat & dessert 11€50
entrée & plat & dessert 14€50

les entrées
jambon de pays
pâté de campagne
assiette de crudités

les plats
bifteck frites
poulet au riz
rôti de boeuf / carottes
poisson du jour / haricots verts

les desserts
glaces
tarte aux pommes

les boissons
vin rouge ou rosé
bière
eau minérale

Réservations 01 30 33 55 51
Service tous les jours

Un régime alimentaire équilibré

La prof : Il est très important de bien manger, c'est-à-dire, de manger des choses saines et légères, n'est-ce pas ? Un régime alimentaire équilibré est essentiel à la santé du corps. Vous, par exemple, qu'est-ce que vous mangez au petit déjeuner ? Jacques, tu commences ?

Jacques : Le petit déjeuner, madame ? Moi, un café et du pain avec de la confiture.

La prof: Mmm, c'est la tradition, mais ce n'est pas l'idéal. Tu ne manges pas de fruits ?

Jacques : Ah non, je n'aime pas beaucoup les fruits.

La prof : Et toi, Janine?

Janine : Moi, comme petit déjeuner, je mange toujours des fruits : de l'ananas, des bananes, des mangues. J'adore ça, surtout avec des céréales.

La prof : Ah, c'est déjà mieux. Et Christophe ?

Christophe : Moi, pour le petit déjeuner, normalement… euh… un Coca – c'est tout.

La prof : Ah bon ? Tu ne manges rien ?

Christophe : Je n'aime pas le pain grillé. Je déteste les fruits. Et les œufs, quelle horreur !

La prof : Et à l'heure du déjeuner, qu'est-ce que tu manges, Christophe ?

Christophe : Alors là, j'ai toujours très faim, alors je mange des frites, un hamburger et parfois une glace avec de la crème Chantilly. J'adore ça !

Les étudiants : (*ironique*) Miam ! miam !

La prof : Taisez-vous ! Ce n'est pas drôle ! C'est un régime alimentaire catastrophique !

Et le petit déjeuner dans d'autres pays ?

Maryse habite en Bretagne, France.

Moi, j'adore manger des galettes pour le petit déjeuner. Des galettes de blé noir, bien sûr, servies chaudes avec du jambon, du fromage, ou des saucisses. J'aime aussi manger ces galettes (ou crêpes) sucrées, avec de la confiture ou du miel.

Robert habite au Québec.

D'habitude pour mon petit déjeuner, j'aime manger des céréales avec du lait ou avec du yaourt. J'aime aussi boire des jus de fruits. Mais quelquefois, le dimanche par exemple, je mange des croissants chauds avec de la confiture.

Catherine habite à l'île Maurice.

Pour le petit déjeuner, moi j'aime boire du thé à la vanille. J'aime grignoter des biscuits de manioc : c'est fait ici et c'est bon !

vocabulaire

noms
- beurre (m)
- boisson (f)
- bonbon (m)
- biscuit (m)
- café (m)
- curry (m) de poulet
- chocolat (m)
- chocolat (m) chaud
- citron (m)
- Coca-Cola (m)
- couscous (m)
- croissant (m)
- eau (f) minérale
- frites (fpl)
- fromage (m)
- jambon (m)
- jus (m) de fruit
- ketchup (m)
- lait (m) au chocolat
- ligne (f)
- limonade (f)
- méchoui (m)
- orange (f)
- Orangina (m)
- pain (m)
- pêche (f)
- plat (m)

- pomme (f)
- poulet (m)
- rougail (m) saucisses
- sandwich (m)
- salade (f) composée
- saucisson (m)
- thé (m)
- vanille (f)

adverbes, conjonctions, prépositions
- avec
- comme
- ou
- sans

pronoms personnels toniques
- moi
- toi
- lui
- elle
- nous
- vous
- eux
- elles

verbes
- adorer
- aimer
- avoir faim
- avoir soif
- boire
- détester
- digérer
- manger

adjectifs
- chaud(e)
- dégoûtant(e)
- délicieux (-euse)
- épicé(e)
- facile
- froid(e)
- gazeux (-euse)
- glacé(e)
- piquant(e)
- plat(e)
- rôti(e)
- saignant(e)
- sans goût
- sucré(e)

expressions
- À table !
- Avec plaisir.
- Bon appétit !
- Désolé(e).
- Quelle horreur !
- Volontiers.

Le français dans le Pacifique

unité de culture

Les îles du Pacifique

Papouasie-Nouvelle-Guinée

Îles Salomon

Wallis et Futuna

Samoa

Tuvalu

Vanuatu

Australie

Brisbane

Sydney

Melbourne

Fidji

Nouvelle-Calédonie

Tonga

Polynésie Française

Nouvelle-Zélande

Nouméa, capitale de la Nouvelle-Calédonie

La Polynésie française

FRENCH IS SPOKEN in several regions of the Pacific. It is an official language in Vanuatu, an independent Pacific nation. English and other local languages are spoken there too. France also has overseas territories (*territoires d'outre-mer* or *TOM*) in the Pacific. They are:

- New Caledonia
- French Polynesia
- Wallis and Futuna.

In France's overseas territories French is the official language but local languages are also spoken. The people are French citizens and the national anthem and flag are those of France, however, the currency is different. French territories in the Pacific region use the Pacific franc (*Cours de franc Pacifique, CFP*). They do not use euros as they are not part of the European Union.

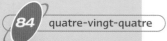

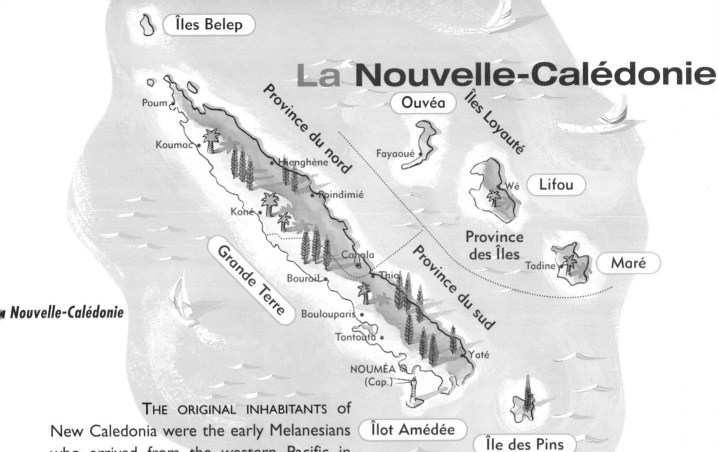

La Nouvelle-Calédonie

Îles Belep

Poum
Koumac
Hienghène
Roindimié
Koné
Canala
Bourail
Thio
Boulouparis
Tontouta
Yaté
NOUMÉA
(Cap.)

Province du nord

Ouvéa
Îles Loyauté
Fayaoué
Wé — Lifou
Province des Îles
Tadine — Maré
Province du sud

Grande Terre

Nouvelle-Calédonie

Îlot Amédée

Île des Pins

THE ORIGINAL INHABITANTS of New Caledonia were the early Melanesians who arrived from the western Pacific in around 2000 BC. Later came a wave of Polynesians from Samoa, Tonga and the Wallis Islands. European explorers, including James Cook who named New Caledonia, arrived in the Pacific during the eighteenth century. They were followed by traders, whalers, missionaries and later by French convicts. New Caledonia was used as a penal colony from 1864 to 1897.

Today the population of New Caledonia consists of Melanesians, who call themselves Kanaks (about 45%); Europeans of mostly French descent (about 33%); and people of other ethnic origins:

Au marché de Nouméa

Des ignames

Tahitian, Indonesian, Wallis and Futuna Islander, Vietnamese and Chinese (about 22%). In addition to French, there are 27 distinctly different Kanak languages spoken throughout the islands. Local languages and cultures are still an important part of New Caledonian life.

New Caledonian dishes often feature fish, coconut, banana, taro, sweet potato and yam, ingredients that are common to the rest of the Pacific. Traditional Kanak foods also include lobster, coconut crab, flying fox, dugong and turtle, but hunting for dugong and turtle is restricted these days and people tend to eat more processed foods. Colourful early morning markets in Noumea sell fresh fruit, vegetables and fish.

The yam is not only a highly nutritious vegetable, it is also very important in Kanak culture and is always part of a ceremony or celebration. In fact, it has its own celebration ritual at harvest time. It is one of the ingredients for a *bougna*, a traditional feast which occurs at tribal festivals, weddings, or after Mass on Sunday.

*Le Centre culturel Tjibaou,
Nouméa*

*Une ancienne prison en
Nouvelle-Calédonie*

*Les femmes mélanésiennes
jouent au cricket*

*Le chemin kanak
au Centre culturel Tjibaou*

The **Centre culturel Tjibaou**, 10 km from central Noumea, was built to showcase Kanak art and culture.

It also features artefacts from the wider Pacific region. It was named after the Kanak leader Jean-Marie Tjibaou, in recognition of his contribution to the cultural and political development of New Caledonia.

Designed by Renzo Piano (one of the architects of the *Centre Georges Pompidou* in Paris) and costing $80 million, the centre attempts to bring together traditional Kanak and contemporary Western architecture, while remaining in keeping with the natural environment. There is no main building, but rather a series of 10 'huts', forming three 'villages' linked by a central path, *le chemin kanak*.

Une tortue marine

New Caledonia has many species of plants and animals that cannot be found anywhere else in the world. Surrounding the main island is an immense coral reef which harbours a wide range of marine life, specimens of which can be seen at the Aquarium in Noumea.

The main industries in New Caledonia are mining (particularly nickel ore) and tourism. Agriculture, fishing and aquaculture contribute to the economy to a lesser degree.

Un nautile

Les mines au nickel

activités

1 *La Grande Terre, le Caillou, l'Île Lumière* and *Kanaky* are all names for New Caledonia. Can you find out what they mean?

2 Using the Internet or the library, do some further research on Jean-Marie Tjibaou.
   • Who was he?
   • Why is he important to the people of New Caledonia?

3 Can you find out why New Caledonia is divided up into three provinces (Northern, Southern and Loyalty Islands)?

4 Can you find any connections between New Caledonian and Australian history?

5 Using the Internet or guidebooks, plan a trip to New Caledonia.
   • How would you get there?
   • Where would you stay?
   • Which towns or islands would you visit?
   • What would you like to see?
   • What activities would you hope to do?
   • What food would you eat?

En classe on travaille

In this unit you will learn how to:

- talk about school subjects
- give instructions and orders
- compare French and Australian school timetables

En Nouvelle-Calédonie

situation

Bon, voici vos devoirs de maths. Janine, très bien comme d'habitude : 18/20. Toi, Jacques, tu ne travailles pas assez : 10/20. C'est dommage, tu as du talent.

Attention, Christophe, 6/20… c'est une très mauvaise note, et tu risques de redoubler si ça continue. Efface le tableau s'il te plaît.

Alors, nous continuons notre unité de géométrie. Vous avez tous une règle, un compas et votre calculette?

Monsieur, je n'ai pas de crayon.

Ah, Jacques, comme d'habitude, tu oublies tes affaires. Christophe, prête un crayon à ton camarade, s'il te plaît. Allez, au travail. Choisissez bien vos réponses, hein ?

La classe finit dans dix minutes.

Ce n'est pas trop tôt !

Jacques et Christophe, arrêtez de parler. Montrez-moi votre travail.

Mmmm… très drôle. Attention, tout le monde ! Regardez le travail de ces messieurs.

Le Prof de Maths

Effacez ces bêtises. Pas de punition... pour l'instant. Mais ne recommencez pas ce travail artistique dans ma classe.

Vrai ou Faux ?

1. Jacques et Christophe ont de bonnes notes en maths.
2. Nous sommes dans une classe de géométrie.
3. Jacques n'a pas de compas.
4. Jacques et Christophe travaillent bien.
5. Le prof n'est pas content.
6. Le prof punit Jacques et Christophe.

manières de dire

Emploi du temps – élève de 3ᵉᵐᵉ

	lundi	mardi	mercredi	jeudi	vendredi	samedi
8 h	Français	Allemand	Français	Maths	Français	
9 h	Allemand	Histoire – Géographie	Histoire – Géographie	Français	Maths	Anglais
10 h	Maths	Technologie	Sciences Naturelles	Anglais	Allemand	Maths
11 h	Musique	Technologie			Français	
12 h	Déjeuner / Récréation					
13 h						
14 h	Histoire – Géographie	Maths		Allemand	Histoire – Géographie	
15 h	Anglais	Anglais		Dessin		
16 h		Education physique				

Qu'est-ce qu'on a le lundi à 10 heures ?

À 10 heures, on a un cours de maths.

À quelle heure est-ce qu'on a le cours de musique ?

On a le cours de musique à 11 heures le lundi.

Quand est-ce que tu es libre le lundi ?

Je suis libre à 16 heures : je n'ai pas de cours.

Écoute ! Écoutez !

Regarde ! Regardez !

Parle ! Parlez !

Répète ! Répétez !

Viens ! Venez !

Entre ! Entrez !

Sors ! Sortez !

Assieds-toi ! Asseyez-vous !

Lève-toi ! Levez-vous !

Tais-toi ! Taisez-vous !

activités orales

1 Work in pairs. Imagine you are at school in France and that your timetable is the one shown opposite. Student A asks questions about the timetable, Student B answers. Then change roles.

A Qu'est-ce que tu as le lundi à 8 heures ?

B Le lundi à 8 heures, j'ai un cours de français.

2 Prepare a set of instructions for the others in the class to follow. Take turns at being the one to give the orders.

Levez-vous !

Asseyez-vous !

Prêtez un crayon au professeur !

Trouvez une règle et un compas !

Effacez le tableau noir !

grammaire

1 Les verbes réguliers en -ir

There are a number of verbs ending in **-ir** which belong to the second verb group. They follow a regular pattern which is different from that of the first group. Note particularly the **nous** and **vous** forms of **-ir** verbs, where **-iss-** is inserted.

La classe finit dans dix minutes.

Le prof punit Jacques et Christopher.

finir — to finish

je fin**is**	I finish	nous fin**issons**	we finish
tu fin**is**	you finish	vous fin**issez**	you finish
il fin**it**	he finishes	ils fin**issent**	they finish
elle fin**it**	she finishes	elles fin**issent**	they finish
on fin**it**	we finish		

The verbs **choisir** (to choose) and **punir** (to punish) follow the same pattern.

2 L'impératif

To give an order or instruction in French, use either the **vous** form of the present tense verb without the **vous**, or the **tu** form without the **tu**, depending on whom you are speaking to. Note that when the **tu** form of the verb ends in **-es**, the **s** is dropped to form the imperative.

Choisissez bien vos réponses !

Efface le tableau, s'il te plaît !

	présent	impératif
vous	Vous parlez	Parlez !
tu	Tu parles	Parle !

impératif	vous	tu
1er groupe (-er)	Regard**ez** vos livres ! Commenc**ez** ! Arrêt**ez** !	Regard**e** ton livre ! Commenc**e** ! Arrêt**e** !
2ème groupe (-ir)	Chois**issez** votre livre ! Fin**issez** votre travail !	Chois**is** ton livre ! Fin**is** ton travail !

Note that the negative form of the imperative puts **ne ... pas** before and after the verb.

Ne recommencez pas ce travail artistique !

Ne parle pas, Pierre !

INFOS

La vie scolaire en France

There are a number of differences between school life in France and Australia. In French *lycées*, students can leave school during the day in a free period, go for a coffee or a meal outside the *lycée* or smoke outside the classrooms. In a *collège*, students need parents' permission for these activities. Students do not wear uniforms and religious garments are not permitted.

The final year at a *collège, la classe de 3ème*, (equivalent to Year 9) is an *orientation* year. At the end of this year, there is an exam which determines the students' future direction. The decision is made by a teacher consultation group (*le conseil de classe*) where the school record of each student is closely considered by the teachers. Students and their parents, however, now have the right to contest this decision, so students may go on to a *lycée* whatever their results.

Generally, students obtain the junior diploma (*le brevet des collèges*) before going on (*passer en seconde*). At this point, depending on their marks, they may be orientated towards a vocational training program (*l'enseignement professionnel*) in such fields as agriculture, hospitality or health services.

lecture

On cherche des correspondants

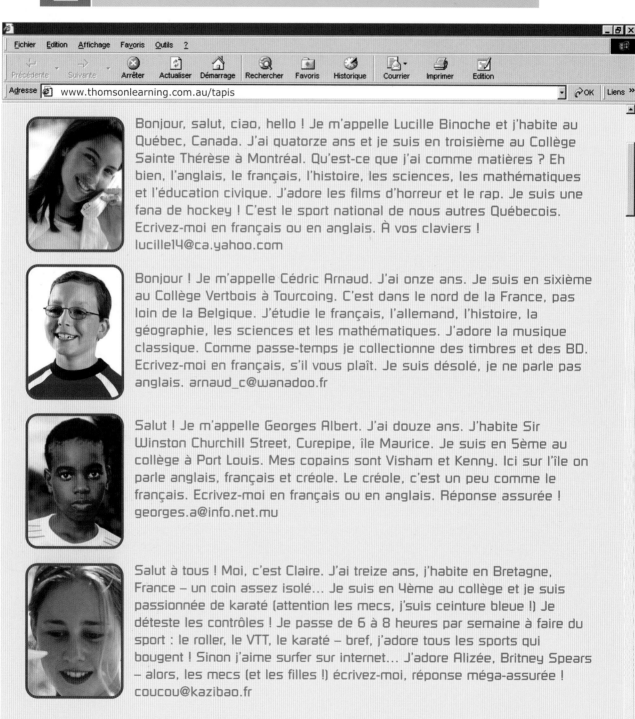

Bonjour, salut, ciao, hello ! Je m'appelle Lucille Binoche et j'habite au Québec, Canada. J'ai quatorze ans et je suis en troisième au Collège Sainte Thérèse à Montréal. Qu'est-ce que j'ai comme matières ? Eh bien, l'anglais, le français, l'histoire, les sciences, les mathématiques et l'éducation civique. J'adore les films d'horreur et le rap. Je suis une fana de hockey ! C'est le sport national de nous autres Québecois. Ecrivez-moi en français ou en anglais. À vos claviers !
lucille14@ca.yahoo.com

Bonjour ! Je m'appelle Cédric Arnaud. J'ai onze ans. Je suis en sixième au Collège Vertbois à Tourcoing. C'est dans le nord de la France, pas loin de la Belgique. J'étudie le français, l'allemand, l'histoire, la géographie, les sciences et les mathématiques. J'adore la musique classique. Comme passe-temps je collectionne des timbres et des BD. Ecrivez-moi en français, s'il vous plaît. Je suis désolé, je ne parle pas anglais. arnaud_c@wanadoo.fr

Salut ! Je m'appelle Georges Albert. J'ai douze ans. J'habite Sir Winston Churchill Street, Curepipe, île Maurice. Je suis en 5ème au collège à Port Louis. Mes copains sont Visham et Kenny. Ici sur l'île on parle anglais, français et créole. Le créole, c'est un peu comme le français. Ecrivez-moi en français ou en anglais. Réponse assurée !
georges.a@info.net.mu

Salut à tous ! Moi, c'est Claire. J'ai treize ans, j'habite en Bretagne, France – un coin assez isolé... Je suis en 4ème au collège et je suis passionnée de karaté (attention les mecs, j'suis ceinture bleue !) Je déteste les contrôles ! Je passe de 6 à 8 heures par semaine à faire du sport : le roller, le VTT, le karaté – bref, j'adore tous les sports qui bougent ! Sinon j'aime surfer sur internet... J'adore Alizée, Britney Spears – alors, les mecs (et les filles !) écrivez-moi, réponse méga-assurée !
coucou@kazibao.fr

vocabulaire

verbes	noms	les matières
arrêter	affaires (fpl)	allemand (m)
choisir	bêtise (f)	anglais (m)
effacer	camarade (m/f)	dessin (m)
finir	déjeuner (m)	éducation civique (f)
montrer	devoir (m)	éducation physique (f)
oublier	note (f)	espagnol (m)
prêter	punition (f)	français (m)
punir	récréation (récré) (f)	géométrie (f)
recommencer	tableau (m) noir	histoire-géo(graphie) (f)
redoubler	talent (m)	maths (mathématiques) (fpl)
risquer de	travail (m)	musique (f)
		sciences naturelles (fpl)
		technologie (f)

adjectifs	expressions
mauvais(e)	Allez !
libre	Au travail !
	C'est dommage.
	comme d'habitude

Ma semaine, c'est comme ça

In this unit you will learn how to:

- talk about your daily and weekly activities
- say when and how often you do them

situations

La journée de Pierre

Il est sept heures. La journée commence…

Un petit déjeuner rapide, et je saute, voilà le bus ! Ciao !

J'arrive au collège à huit heures pile !

J'ai une matinée *très* occupée…

Midi : on déjeune à la cantine… encore des carottes !

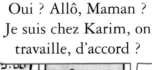

Oui ? Allô, Maman ? Je suis chez Karim, on travaille, d'accord ?

Enfin je suis libre – hourra ! Je vais chez Karim, nous faisons nos devoirs ensemble.

Nous cherchons des correspondants sur l'internet, c'est chouette, on a des tas de copains partout dans le monde…

Il est cinq heures et demie, c'est l'heure de rentrer chez moi.

Je dîne dans le restaurant de mon père. J'ai de la chance, hein ?

Après, je regarde le feuilleton à la télé : *Emma contre tous.*

Ouf ! J'ai sommeil… quelle longue journée ! Bonne nuit !

La semaine de Katie

Je vais à l'école tous les jours, du lundi au vendredi. J'aime bien l'école, tous mes amis sont là. Et les profs sont sympa – enfin, presque toujours ! On fait du sport le mercredi après-midi. Moi, je joue au tennis avec Michelle et Linda. Mark joue au foot avec l'équipe de l'école. D'habitude, ils gagnent : ils sont très forts. Le jeudi, après l'école, on a notre cours d'aérobic, c'est super ! Le jeudi soir, je fais les courses avec maman au supermarché. Le vendredi, je fais de la natation. Le vendredi soir, nous allons au cinéma en famille : c'est vraiment bien, même si nous ne sommes pas toujours d'accord sur le film ! Après, on va au café du coin.

Vrai ou Faux ?

1. La journée de Pierre commence à huit heures pile.
2. L'après-midi, Karim et Pierre travaillent beaucoup sur leurs devoirs.
3. Katie fait du sport le mercredi et le samedi.
4. Elle fait les courses avec son père.
5. Elle aime bien aller au cinéma.

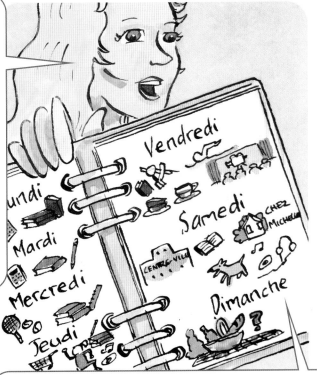

Le samedi matin, je vais en ville avec mes amies, et l'après-midi, je fais mes devoirs. Maman et papa sont toujours là pour surveiller ! Souvent je vais chez Michelle. On joue avec Toby et on écoute nos CD. Quelquefois, le dimanche, on fait un pique-nique en famille dans le parc. Ou bien je reste chez moi, je regarde la télé, ou je téléphone à tous mes amis. Je n'utilise pas beaucoup l'ordinateur parce que Mark et papa sont toujours devant !

manières de dire

À quelle heure est-ce que…

… ta journée commence ?

Ma journée commence à sept heures et demie.

… tu arrives à l'école ?

J'arrive à l'école à huit heures et demie.

… tu vas au lit ?

Je vais au lit à dix heures.

Qu'est-ce que tu fais le samedi ?

Le samedi, je vais au cinéma.

Les sports

faire de la natation

faire de l'aérobic

jouer au foot

jouer au tennis

jouer au volley

À la maison

faire ses devoirs

écouter des CD

téléphoner à des amis

regarder la télévision

utiliser l'ordinateur

faire les courses

Les activités sociales

faire un pique-nique

aller au cinéma

dîner au restaurant

aller au café

aller en ville avec des amis

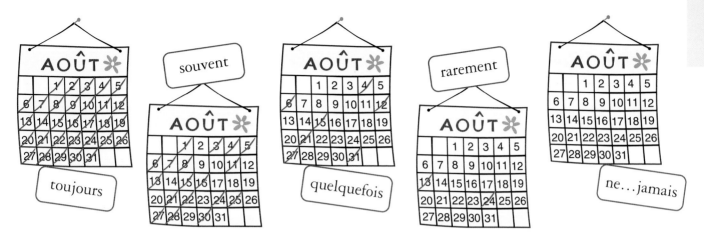

activités orales

1 Interview two or three members of the class. Ask them about their daily routines.

> À quelle heure est-ce que ta journée commence ? / tu arrives
> à l'école ? / tu déjeunes ? / tu rentres chez toi ? / tu fais tes
> devoirs ? / tu dînes ? / tu regardes la télé ? / tu vas au lit ?

With the help of your teacher, find who is the first and/or last person in the class to get up and go to bed, who watches the most television, and so on.

2 Ask three other class members what activities they are likely to do during a normal week. Write out the days of the week in French and fill in your friends' activities. Find out who has the busiest week in the class.

> **A** Qu'est-ce que tu fais le lundi
> (le mardi, le mercredi…) ?
>
> **B** Le lundi, je regarde la
> télé.

3 Work in pairs. Student A selects five leisure activities and asks Student B how often s/he does them using **toujours**, **souvent**, **quelquefois**, **rarement** and **ne…jamais**. Student B responds. Then change roles.

> **A** Tu joues souvent au tennis ?
>
> **B** Non, je ne joue jamais
> au tennis.
>
> **A** Tu fais quelquefois de la
> natation ?
>
> **B** Oui, je fais quelquefois
> de la natation.

Then, when your teacher asks you, tell the rest of the class what you have found out.

> **A** Elle ne joue jamais au tennis. Elle fait quelquefois de la
> natation.

grammaire

1 Le verbe irrégulier aller

Although **aller** (*to go*) ends in **-er**, it is not a regular verb but a frequently used irregular verb.

Je vais chez Karim.
Nous allons au cinéma.

aller						to go
	je vais	I go		**nous allons**	we go	
	tu vas	you go		**vous allez**	you go	
	il va	he goes		**ils vont**	they go	
	elle va	she goes		**elles vont**	they go	
	on va	we go				

2 Le verbe irrégulier faire

This irregular verb is also frequently used.

faire						to do, to make
	je fais	I do		**nous faisons**	we do	
	tu fais	you do		**vous faites**	you do	
	il fait	he does		**ils font**	they do	
	elle fait	she does		**elles font**	they do	
	on fait	we do				

Take special note of the **vous** form: this is one of the few French verbs where it does not end in **-ez**.

Vous faites de l'aérobic

There are various ways in which **faire** translates into English.

When talking about sport, the construction **faire + du / de la / de l' / des** is often used:

On fait du sport.   We play sport.
Elle fait de la natation.   She does swimming.
Ils font du karaté.   They do karate.

When talking about other activities, the construction **faire + article** is often used:

Je fais les courses avec Maman.
On fait un pique-nique en famille.

3 Le verbe commencer (note de prononciation)

The verb **commencer** (*to begin*) belongs to the first group of regular **-er** verbs, but note the spelling of **nous commençons**.

This is because in French the letter **c** can be pronounced like the letter **s** or **k** in English, depending on the vowel that follows it:

If we want it to sound like an **s** before **a**, **o** or **u**, we have to put the cedilla accent underneath it:

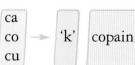

4 | Chez moi

Chez is a preposition meaning *at someone's (house / place)*. It can also be used with pronouns instead of nouns.

Souvent je vais chez Michelle.

chez moi	at my place	**chez** nous	at our place
chez toi	at your place	**chez** vous	at your place
chez lui	at his place	**chez** eux	at their (masc.) place
chez elle	at her place	**chez** elles	at their (fem.) place

INFOS

La semaine de travail en France

A typical French day is rather different from an Australian one. The French tend to be early risers: one worker in three starts work before 7.30 a.m. and some schools and universities begin classes at 8 a.m., which in winter means getting up and starting your first class while it is still dark (and cold!).

Traditionally, French workers and students always had a two-hour lunch break from 12 noon to 2 p.m. Because of this, the traditional working day is longer than in Australia (8 a.m.–6 p.m. or later) and so is the school day (8 a.m. –4 p.m.). This is now changing. Some workers only have a half-hour lunch and finish early. This is called *la journée continue*. This is becoming more usual in the large cities, but in country areas the traditional pattern usually still applies.

In the past, most French people worked on Saturday. There was no weekend, which is why the French had to borrow the English word (*le week-end*). But now many French people do have Saturday and Sunday free.

In 2000, the French government introduced the 35-hour week (*la semaine de 35 heures*). In a recent poll, 59% of the French felt that their lifestyle had improved as a result. They reported spending more time at the gym and with their children, they now dined out more often, took more holidays and enjoyed extra leisure hours. But there are also some negative signs for the French economy: higher prices and less efficient services.

Une journée typique, c'est comment ?

From: perrin-mich@yahoo.com.au
To: jacques_canala@info.net.nc
Subject: Projet

Cher Jacques,

Je suis en train de préparer un projet pour la prof de français sur la vie de tous les jours en Nouvelle-Calédonie. Je te demande un petit service – quelques détails sur la vie chez toi. Qu'est-ce que vous faites, toi et tes amis, pendant une journée typique en Nouvelle-Calédonie ?

Merci d'avance,

Michelle

De : jacques_canala@info.net.nc
À : perrin-mich@yahoo.com.au
Suject : Projet

Salut Michelle !

Une journée typique, c'est comment ?

Eh bien, ma journée commence à six heures. À six heures et demie, je déjeune avec la famille. Puis, les copains arrivent chez moi et on va à l'école à vélo. On arrive à l'école très tôt – vers sept heures et quart normalement. Puis on joue au foot ou au volley.

On commence les cours à huit heures. On a une petite récré à dix heures et puis à midi on déjeune. L'après-midi c'est pénible en classe à cause de la chaleur ! On aime tous la classe d'informatique – c'est climatisé. Aaaaahhh ! Le confort !

Après l'école, on va à la plage. On va tous sur le ponton dans la mer. Souvent on fait du vélo le long de la route de l'Anse Vata. Si mon père est là, on fait de la planche à voile.

Vers six heures du soir je rentre, je fais les devoirs et j'aide ma mère dans la cuisine (eh oui !). On dîne vers sept heures du soir. Toute la famille regarde la télé. Mes parents et ma sœur aiment les informations et les feuilletons. Moi, j'aime le sport, mais je suis minoritaire.

Voilà, Michelle. Bonne chance pour ton projet !

À plus tard,

Jacques

Bravo, Michelle. Ton projet est intéressant et authentique. Comment fais-tu ?

vocabulaire

noms	verbes	adjectifs
aérobic (m)	aller	fort(e)
café (m)	arriver	libre
carotte (f)	avoir de la chance	occupé(e)
CD (m)	avoir sommeil	
cinéma (m)	chercher	**adverbes,**
courses (fpl)	commencer	**conjonctions,**
devoirs (mpl)	déjeuner	**prépositions**
équipe (f)	dîner	devant
feuilleton (m)	écouter	ensemble
foot (m)	faire	ne … jamais
internet (m)	gagner	partout
journée (f)	jouer	pile
matinée (f)	rentrer	quelquefois
natation (f)	sauter	rarement
ordinateur (m)	surveiller	souvent
parc (m)	téléphoner à	toujours
pique-nique (m)	travailler	
sport (m)	utiliser	**expressions**
supermarché (m)		en famille
tas (m)		ou bien
télé(vision) (f)		
tennis (m)		
ville (f)		

C'est par ici ?

unité 12

In this unit you will learn how to:

- ask for and give directions
- identify places in a French town
- say where things are, using prepositions

À Nouméa

situation

Pardon, pour aller à la plage de l'Anse Vata, s'il vous plaît ?

Pour aller à l'Anse Vata, il y a des bus, le 3 ou le 6. Vous attendez le bus là-bas, près de la gare routière.

Merci.

De rien. Bon séjour à Nouméa !

Pardon, jeune homme, je cherche la gare maritime. C'est par ici ?

Merci, jeune homme.

Quelle belle chemise !

Non, c'est assez loin. Vous prenez la rue là-bas, puis la deuxième rue à gauche. Vous continuez tout droit et la gare maritime c'est sur votre droite.

!!!???

Pardon, mademoiselle, il y a un bureau de poste par ici ?

Oui, la poste est près du marché.

Et le marché, c'est où ?

Ce n'est pas loin. Vous descendez la rue, puis vous tournez à gauche.

Merci. Vous êtes gentille, mademoiselle.

Dis donc, qu'est-ce qu'il y a comme touristes aujourd'hui !

Oui, hein ? Il y a un grand paquebot dans le port.

Et ils ont seulement deux jours pour visiter Nouméa ! Bon, allons au marché. J'ai des courses à faire.

Vrai ou Faux ?

1   Jacques explique comment aller à l'Anse Vata.

2   Le monsieur cherche la gare routière.

3   La gare maritime n'est pas très loin.

4   Le bureau de poste est près du marché.

5   Il n'y a pas beaucoup de touristes à Nouméa.

manières de dire

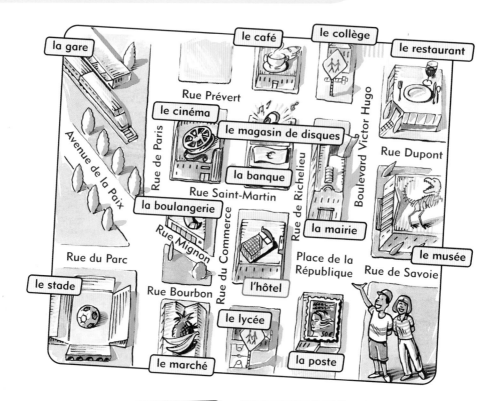

Avenue de la Paix
Rue de Paris
Rue Prévert
le café
le collège
le restaurant
la gare
le cinéma
le magasin de disques
Boulevard Victor Hugo
Rue Dupont
la banque
Rue Saint-Martin
Rue de Richelieu
la boulangerie
la mairie
le musée
Rue du Parc
Rue Mignon
Rue du Commerce
Place de la République
Rue de Savoie
le stade
Rue Bourbon
l'hôtel
le lycée
le marché
la poste

Pardon, pour aller | à la poste, | s'il vous plaît ?
                     au cinéma,

Pardon, | je cherche | la gare, s'il vous plaît.
          nous cherchons

Où est | le marché, | s'il vous plaît ?
          la mairie,

Le musée, | c'est par là ?
Le stade,

Il y a | un café | par ici ?
         une banque

Vous prenez | la | première | rue | à droite.
Prenez | | deuxième | | à gauche.
             | | troisième |

Vous tournez | à droite.
Tournez

Vous tournez | à gauche.
Tournez

Vous allez | tout droit.
Allez

| Vous continuez | jusqu' | à la poste. |
| Continuez | | au lycée. |

| Vous traversez | la rue et c'est sur votre | droite. |
| Traversez | | gauche. |

C'est en face de…

C'est derrière…

C'est à côté de…

C'est entre… et…

C'est au coin de…

C'est au bout de…

C'est loin de…

C'est près de…

activités orales

1 Work in pairs. Look at the map of the town opposite and take turns to ask and give directions to the places indicated. The map indicates your starting point

A Pour aller à la gare, s'il vous plaît ?

B Vous continuez / Continuez tout droit et c'est sur votre droite.

2 Work in pairs. Take turns to choose a place on the map and ask your partner to give its exact location.

A Où est le cinéma, s'il vous plaît ?

B Le cinéma est dans la rue Saint-Martin, en face de la boulangerie.

The French verbs in the third group are all irregular. You already know four irregular verbs: **être**, **avoir**, **aller** and **faire**. A small number of verbs ending in **-re** also belong to this group.

Note that **attendre** means *to wait for*. **J'attends le bus** means *I'm waiting for the bus*, so don't use the preposition **pour**.

Vous attendez le bus là-bas.

Vous prenez la première rue à droite.

Vous descendez la rue.

attendre — *to wait for*

j'attends	I wait for		**nous attendons**	we wait for
tu attends	you wait for		**vous attendez**	you wait for
il attend	he waits for		**ils attendent**	they wait for
elle attend	she waits for		**elles attendent**	they wait for
on attend	we wait for			

Note the plural forms (with **nous, vous, ils, elles**) of the verb **prendre** (*to take*).

prendre — *to take*

je prends	I take		**nous prenons**	we take
tu prends	you take		**vous prenez**	you take
il prend	he takes		**ils prennent**	they take
elle prend	she takes		**elles prennent**	they take
on prend	we take			

See also p. 151 for the full conjugation of **descendre** (*to go down / get off / get out of (a vehicle)*).

2   L'impératif (suite)

 rappel   The imperative in the second person singular (**tu**) and plural (**vous**) form is used to express an order or command. See also Unit 10, p. 92.

In addition, there is an imperative using the first person plural (**nous**) form without the **nous** which expresses the English idea *Let's…*

This verb form can be made negative:

Allons au marché.

Attendons le bus ici.

Travaillons ensemble, d'accord ?

Ne parlons pas si fort.

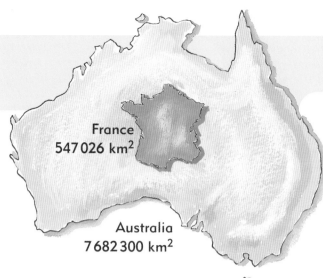

France
547 026 km²

Australia
7 682 300 km²

Les transports en France

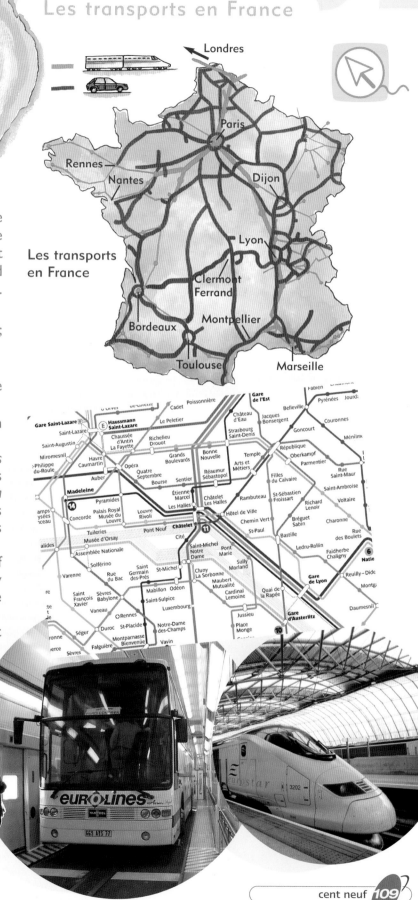

Les transports
en France

Getting about in France is fairly quick and easy because the distances between places are not as great as they are in countries like Australia and there is an excellent road and rail system.

In Paris you can take:
- *le métro* – the underground railway; trains run every few minutes.
- *l'autobus* – the bus.
- *le RER (Réseau Express Régional)* – the express rail service to the suburbs.

To travel to other cities in France you can go by:
- train – *SNCF (Société nationale des chemins de fer français)* train services are fast and efficient. The *TGV (train à grande vitesse)* travels on some routes at up to 300 kilometres per hour – as fast as a small aeroplane!
- car – France is covered by a network of *autoroutes* (freeways) and you can easily drive from Paris to any part of France in a few hours.
- plane – but because of the short distances and the excellent road and rail services, not many people do this.

To travel to the UK from Europe you can still travel by ferry, but you can also use Eurostar, a train which travels direct from Paris to London using the Channel Tunnel (*le tunnel sous la Manche*), or load your car onto one of the shuttle trains that use the same tunnel.

Apprenez le français en France !

Apprenez le français en France !

L'école France-Accueil
propose aux étudiants étrangers une gamme complète
de cours de langue intensifs à Paris et à Nice.

À Paris
L'école France-Accueil (Paris)

Située dans la rue Danton, tout près de la place Saint-Michel, l'école est proche des centres d'affaires parisiens et du quartier latin avec ses cafés, ses musées, ses marchés, sa vie active. À côté il y a les quais de la Seine, et si vous traversez le pont Saint-Michel, vous avez accès aux grands magasins de la ville. Ce quartier est bien desservi par le bus et le métro.

À Nice
L'école France-Accueil (Nice)

La ville de Nice, capitale de la Côte d'Azur, est réputée pour son climat très agréable. L'école est située au centre de la ville, à dix minutes de la promenade des Anglais et de la plage. Tout près de l'école il y a la plus grande avenue commerçante, où de nombreuses lignes de bus sont à votre disposition.

D'autre part, toutes les villes de la Côte d'Azur, de Monaco à Cannes, sont accessibles par le train en moins de 30 minutes.

Cours de français à France-Accueil

L'objectif des cours est la pratique de la langue française. Chaque semaine, de plus, un cours de civilisation française est proposé aux étudiants inscrits dans les cours.

> Faites des promenades culturelles !

> Visitez des musées historiques !

> Rencontrez les Français chez eux !

vocabulaire

**adverbes,
conjonctions,
prépositions**

- à côté de
- à droite
- à gauche
- au bout de
- au coin de
- derrière
- devant
- en face de
- entre
- loin de
- près de
- seulement
- tout droit

chiffres ordinaux

- premier (-ère)
- deuxième
- troisième
- quatrième
- cinquième

noms

- banque (f)
- boulangerie (f)
- bureau (m) de poste
- bus (autobus) (m)
- cinéma (m)
- collège (m)
- gare (f)
- gare (f) maritime
- gare (f) routière
- hôtel (m)
- magasin (m) de disques
- mairie (f)
- marché (m)
- musée (m)
- paquebot (m)
- plage (f)
- poste (f)
- restaurant (m)
- stade (m)
- ville (f)

verbes

- attendre
- chercher
- continuer
- descendre
- expliquer
- prendre
- rester
- tourner
- traverser

expressions

- Bon séjour !
- Dis donc…
- Qu'est-ce qu'il y a comme…

4

Le français dans les îles de l'Océan Indien

FRENCH IS BY FAR the most useful language in the islands of the western Indian Ocean and one of the strongest bonds between the islands.

Kreol, a language spoken in one form or another on most of the islands of the Indian Ocean, developed from the pidgin French used by African slaves in the eighteenth century. The various forms of Kreol differ slightly, though the vocabulary is based almost entirely on French. There are many songs, poems, novels and newspapers published in Kreol.

Comores
Official language: Comoran
Arabic and French also spoken.

Australie

Mozambique

Mayotte

Seychelles
Official language: Kreol
English and French also spok

Afrique
du Sud

Des îles de
l'Océan Indien

Île Maurice
Official language: English
French and Kreol also spoke

Madagascar
Official language: Malagasy
French also spoken.

Réunion
Official language: French
Kreol also spoken.

La Réunion

The island of Reunion is about seven hours flying time west of Perth. It used to be a French colony, but now has the status of a *département d'outre-mer* (DOM). This means that its currency is the euro even though it is a long way from Europe! The capital is Saint-Denis.

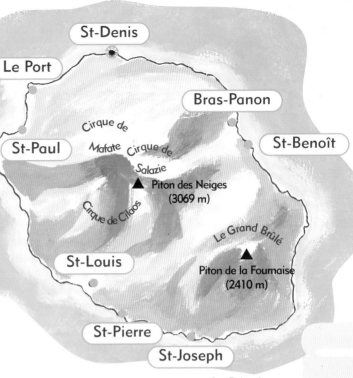

La Réunion

REUNION's landscape is very diverse, ranging from tropical beaches and lush greenery to arid mountains. The island was formed by volcanic activity and the highest peak is *Piton des Neiges* at 3069 m. There is one still active volcano called *Piton de la Fournaise*. Sometimes, during eruptions, lava flows down across the mountain roads. Three immense *cirques* (natural amphitheatres), *Cilaos, Mafate* and *Salazie*, have been formed by the collapse of volcanic rock and these are very popular trekking destinations.

There are two seasons: hot and rainy from October to March, and cool and dry from April to September. Reunion is regularly hit by cyclones.

Until the mid-seventeenth century Reunion was probably uninhabited. It was, however, a convenient stopping-off point for Arab and European mariners, as there were plentiful supplies of fresh water close to the coast. The first permanent residents were a group of French mutineers banished to the island. They lived there for four years before their enthusiastic reports of life on the island led to French settlement in 1646.

When coffee-growing was introduced between 1715 and 1730, African slaves were brought in to provide labour in the fields. By the late eighteenth century there had been a number of slave revolts and those who had managed to escape took refuge in the mountainous interior of the island. When slavery was abolished, contract workers from India were brought in to do the work and they were followed in the early twentieth century by Indian immigrants.

Today, Reunion's population totals about 700,000 and the major ethnic groups are Creoles, Europeans, Indians and Chinese.

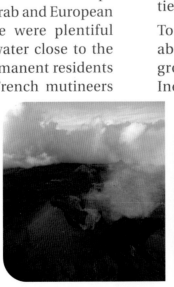

Piton de la Fournaise en éruption

Cirque de Cilaos

Au marché

Le séga : danse réunionnaise

Music and dance are very important means of expression throughout the islands of the Indian Ocean.

THE *SÉGA* IS A DANCE originally performed by slaves as an expression of the living hell in which they felt trapped. It was danced on the beach around campfires, so the feet shuffle back and forth as if in the sand, while the rest of the body is more energetic. The *séga* became a symbol of hope and freedom, allowing the slaves to temporarily forget their troubles.

There are many festivals to celebrate the different religions and cultures including: *la fête du Miel, la fête de la Vanille, la fête de la Canne.*

Saint Expédit is a popular local patron saint. According to many *Réunionnais* this name comes from the word *expédit* that was found on boxes of religious relics sent from Europe. *Expédit* comes from *expéditeur* meaning 'sender'. There are shrines to him all over the island and people pray and leave offerings around them. The shrines are sometimes daubed in red paint to represent blood, to wish ill on others.

There are several types of cuisine in Reunion, reflecting the origins of its population: French, African, Arab, Indian and Chinese. Most types of fruit and vegetable are available at the markets in Saint-Denis and Saint-Paul. Two local favourites are *chouchou* (choko) and *tomate d'arbuste* (tamarillo). Pork, chicken, beef and fish are often served curried with rice.

Un lieu sacré de Saint-Expédit

Au marché de Saint-Denis

Here is a recipe for a typical dish of Reunion:

Rougail saucisses

Serves 4

6 large sausages
2 onions
3 cloves garlic
5 tomatoes
1 red chilli

parsley
thyme
salt
pepper
oil

Chop the onions. Crush the garlic with the chilli and salt. Cut the tomatoes into small pieces. Boil the sausages in water for 10 minutes. Drain. Heat the oil. Add the onions, crushed garlic, tomatoes and thyme. Mix well, then cover and cook for 10 minutes. Add the sausages and cook on a low heat for 20 minutes. Serve with rice.

activités

1 Imagine you are working in a tourist bureau. You are explaining the pleasures of a holiday on one of the Indian Ocean islands to a customer. Choose an island or group of islands and prepare an advertising brochure in English. What reasons would you give for going there?

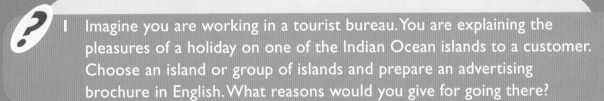

2 Imagine you are going on a tour of the island of Reunion. Consult maps and guidebooks of the island and draw up a plan of your itinerary.
- What would you see and do during the day?
- What would you eat at the restaurant at midday?
- Where would you go for a swim?
- What might you buy at one of the local markets?

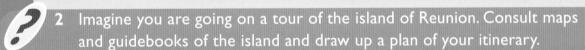

3 The Indian Ocean is famous and fascinating for its wildlife.
- What marine species can be found on the reefs there?
- What animals can be found on the islands?
- Are there any species that are now endangered or extinct?

4 Why not try cooking the recipe for *Rougail saucisses*? Alternatively, you could look for other regional dishes on the Internet.

On fait des achats

In this unit you will learn how to:

- ask for and give the prices of things
- buy and sell things in shops

situation

À Paris

Qu'est-ce qu'on fait cet après-midi ?

Nous, nous avons des achats à faire !

Bonne idée! Il y a des soldes en ce moment.

Où est-ce que tu vas pour acheter ton pull ?

Au premier étage : Mode femme.

Nous, on va au deuxième. À tout à l'heure !

Vous désirez, mademoiselle ?

Le pull orange, s'il vous plaît. Il coûte combien ?

Ce pull coûte 27 euro 50 centimes, mademoiselle.

Ah, c'est trop cher pour moi.

Nous avons d'autres modèles moins chers. Attendez… les voici.

Il est joli, ce pull. Je le prends.

Et voilà la monnaie.
Merci, mademoiselle.
Au revoir.

Moi, je voudrais le
dernier CD de MC Solaar.

Merci. Au
revoir, madame !

Pourquoi tu ne
cherches pas au rayon
soldes ? Il y a de
bonnes affaires là.

Mais tu plaisantes…
On ne trouve jamais
les derniers CD au
rayon soldes !

Moi, je cherche un
sac à dos… Voyons…
qu'est-ce qu'il y a
comme modèle ?

Qu'est-ce que j'achète
pour Yves comme cadeau
d'anniversaire ? Un poster ?
Une casquette ?

Monsieur, s'il vous
plaît ? C'est combien,
ce poster ?

10 euro.

Regarde le
poster là-bas, c'est
vraiment bien.

Oh, il n'est pas cher à
10 euro. Je le prends.

Il y a le choix !
Quel modèle est-ce que
tu aimes le plus ?

Regarde ce sac à dos, il
a une poche frontale zippée.
C'est pratique, non ?

Vrai ou Faux ?

1 Les jeunes n'ont pas envie de faire des achats en ville.
2 Louise n'achète pas le pull orange.
3 Sophie cherche un cadeau pour son petit frère.
4 Pierre achète un CD au rayon soldes.
5 Karim cherche un sac à dos.

Je l'achète.

Oui, et en
plus, il est joli.

manières de dire

un sac à dos — 15€47

un jeu vidéo — 35€12

un tee-shirt blanc — 5€45

un baladeur — 45€03

un pull gris — 18€09

45€38

un jean

un cédérom

un DVD — 28€80

une casquette rouge — 7€45

4€50

des baskets — 15€20

une trousse

une calculette — 12€25

2€60

un CD — 19€82

un cahier

Vous désirez ?

Voici…
Voilà…

Ça coûte
21 euros et
50 centimes.

Ça fait
18 euros en
tout.

Nous avons
d'autres
modèles.

Je voudrais…
Je cherche…
Vous avez des… ?

C'est combien ?
Il / Elle / Ça coûte combien ?
Il / Elle / Ça fait combien ?

C'est trop cher.
C'est assez cher.
Ce n'est pas cher.
C'est une (bonne) affaire !

Je le / la / les prends.
Je l' / les achète.

Je ne le / la / les prends pas.
Je ne l' / les achète pas.

activités orales

1 Work in groups of three. Student A is the salesperson, Students B and C are customers. Students B and C have € 20 to spend on themselves or a friend. Discuss and choose your purchases. Student A gives appropriate answers, adds up the cost of the purchases and gives change.

A Bonjour, mesdames / messieurs / mesdemoiselles. Vous désirez ?

B Nous cherchons…

A Voilà un / une / des…

C Ce n'est pas cher. Je le / la / les prends. Voici … euros.

A Et voici la monnaie. Merci, mesdames / messieurs / mesdemoiselles.

B Au revoir, madame / monsieur / mademoiselle.

1 Le verbe acheter

Although the verb **acheter** (*to buy*) belongs to the first group of regular verbs, care must be taken with the accent changes in the present tense. Note that the accent changes the pronunciation of the first **e**.

Je l'achète.

acheter					to buy
	j'achète	I buy	**nous achetons**	we buy	
	tu achètes	you buy	**vous achetez**	you buy	
	il achète	he buys	**ils achètent**	they buy	
	elle achète	she buys	**elles achètent**	they buy	
	on achète	we buy			

See also p. 151 for the full conjugation of **vendre** (*to sell*).

2 Les pronoms compléments d'objet direct

In French **le**, **la**, **l'** and **les** are used as direct object pronouns meaning *him*, *her*, *it* and *them*. When the pronoun *it* replaces a noun, we use **le** or **la** (shortened to **l'** in front of a vowel) according to the gender of the noun. The French object pronoun is placed before the verb.

Je prends le poster.	Je le prends.
Je prends la calculette.	Je la prends.
J'achète les baskets.	Je les achète.

Direct object pronouns can also be used with **voici** and **voilà**.

Le voici.	Here he is. / Here it is.
La voici.	Here she is. / Here it is.
Les voilà.	There they are.

3 Les adjectifs démonstratifs

Demonstrative adjectives are used to specify *this* or *that* thing or person and agree in gender and number with the noun which follows.

Note that **ce** changes to **cet** in front of a vowel.

Il est joli, ce pull.

	masculin	féminin
singulier	ce pull ce garçon cet enfant	cette casquette cette fille
pluriel	ces pulls ces garçons ces enfants	ces casquettes ces filles

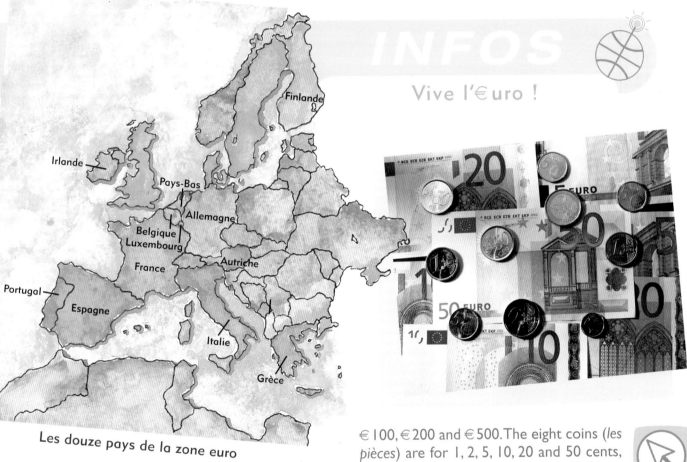

INFOS

Vive l'€uro !

Les douze pays de la zone euro

No more francs? No more deutschmarks? No more lire?

On 1st January 2002, the euro became the official currency of 12 of the countries of the European Union, replacing their national currencies.

The seven notes (*les billets*) look the same throughout the euro zone. The denominations are €5, €10, €20, €50, €100, €200 and €500. The eight coins (*les pièces*) are for 1, 2, 5, 10, 20 and 50 cents, €1 and €2. The coins have one side which is identical in all countries, while the other side features symbols chosen by each country. All coins, regardless of the country of origin, are valid throughout the euro zone.

France's overseas *départements* (*DOM*) have also changed over to the euro, but overseas territories (*TOM*) such as New Caledonia retain their old currency of the Pacific Franc (*le franc CFP*).

lecture

Aux Galeries Vendôme

3 **3ème étage**
Jouets

2 **2ème étage**
Arts de la Table
La Maison

1 **1er étage**
Mode Hommes
Radio Télé Musique
Sports
Mode Enfants

R-C **Rez-de-chaussée**
Mode Femmes
Galerie des Gourmets
Parfumerie
Accessoires de Mode

SOLDES, SOLDES !

Janvier est vraiment le mois des affaires aux Galeries Vendôme.

Heures d'ouverture : 9h–19h

Nous acceptons les cartes American Express / Visa / Carte Bleue

Pensez à vos fêtes et réceptions. Profitez de la qualité, de la fraîcheur et du choix. Faites tous vos achats alimentaires à la Galerie des Gourmets au rez-de-chausée.

GALERIES VENDÔME
JEAN CITOYEN
0123 456 789 0123

Profitez de la carte Galeries Vendôme. Cette carte vous propose un délai de paiement de 30 jours.

Des jouets, beaucoup de jouets... Faites plaisir à vos enfants : visitez le rayon des jouets au 3ème étage.

Prix spéciaux sur les articles de sport musculation. Dépêchez-vous ! Cette offre est valable jusqu'au 30 juin seulement.

Accessoires : c'est le détail qui change tout

Pour être à la mode cette saison, l'accessoire est essentiel.

D'abord,
le sac à main.
À recommander : le
petit sac qui laisse les
mains libres : très chic,
très pratique.

Les chaussures ? Eh bien,
exposez vos pieds à l'air !
Pour le printemps et l'été, la
mode est aux chaussures
découvertes.

Et
les lunettes de
soleil ? Regardez ce
modèle très futuriste,
très glamour ! Ces
lunettes restent bien
fixées sur la tête.

Et finalement, les filles,
n'oubliez pas votre béret : et
pour les garçons, un joli
béret style basque.

vocabulaire

noms
- achats (mpl)
- affaire (f)
- cadeau (m)
- casquette (f)
- centime (m)
- choix (m)
- étage (m)
- euro (m)
- mode (f)
- modèle (m)
- monnaie (f)
- poche (f)
- poster (m)
- rayon (m)
- sac à dos (m)
- soldes (fpl)

verbes
- acheter
- coûter
- désirer
- plaisanter
- trouver
- vendre

adjectifs
- ce / cet / cette / ces
- cher (-ère)
- dernier (-ère)
- frontal(e)
- joli(e)
- pratique
- zippé(e)

expressions
- Bonne idée !
- en ce moment
- Je voudrais…

**adverbes,
conjonctions,
prépositions**
- assez
- moins
- plus
- trop

**pronoms compléments
d'objet direct**
- le / la / l'
- les

In this unit you will learn how to:

- ask for and give information about the weather
- talk about seasons and weather conditions

unité 14

situations

À Paris

Chouette… aujourd'hui je fais du vélo avec Pierre et Karim. Voyons… quel temps fait-il ?

Il fait beau ?

Il y a du vent peut-être ?

Ou bien il pleut !?

Il gèle ?

Youpi ! Il fait beau et chaud…

Allô Pierre ? Tu es prêt ? On y va ? J'appelle Karim. À tout à l'heure !

Et voici la météo pour aujourd'hui… beau temps sur toute la région parisienne, températures en hausse…

Allô Karim ? Tu es prêt ? Rendez-vous dans 10 minutes à l'entrée du bois, d'accord ?

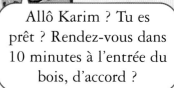

Le devoir d'Yves

Qu'est-ce que tu fais, Yves ?

Je fais mon devoir sur les saisons

C'est l'hiver. Il fait froid. Le vent est glacial. Il y a de la neige sur les arbres. Quand on va à l'école, il fait noir encore. Attention au verglas sur les routes ! On mange des marrons chauds et parfois on fait des bonshommes de neige.

C'est le printemps. Parfois il fait beau, parfois il pleut. Les oiseaux chantent dès le petit matin et ils font des nids. Il y a des feuilles vertes sur les arbres. Les plantes commencent à fleurir. On a le droit d'aller jouer dehors.

C'est l'été. Il fait chaud. Le soleil brille et les gens sont contents. C'est la saison des vacances, et on va à la piscine ou à la plage. On mange des glaces. La vie est belle !

Vrai ou Faux ?

1. Aujourd'hui, Sophie fait du vélo avec Pierre et Louise.
2. Elle est contente : il fait beau.
3. Pierre et Karim sont déjà prêts.
4. En hiver il fait du vent.
5. Au printemps les feuilles tombent des arbres.
6. En été on est content parce qu'il fait beau et chaud.
7. En automne il ne pleut pas.

C'est l'automne. Il pleut souvent. Il fait frais et parfois il y a du brouillard. Les feuilles changent de couleur, puis elles tombent. Les journées sont courtes, elles finissent trop tôt; les nuits sont longues.

manières de dire

Quel temps fait-il ?

Il fait beau / bon.

Il fait mauvais.

Il fait chaud.

Il fait froid.

Il fait du vent.
Il y a

Il fait du soleil.
Il y a

Il y a du brouillard.

Il y a de la pluie.
Il pleut.

Il y a de la neige.
Il neige.

Il gèle.

Il fait un temps superbe.

Il fait un temps de chien.

Il fait 30 degrés.
Il fait chaud.

Il fait 20 degrés.
Il fait bon.

Il fait 10 degrés.
Il fait froid.

Il fait moins 10 degrés.
Il fait très froid.

activités orales

1 Work in pairs. Using this world weather report take turns to ask and say what the weather is like in the various cities.

A Quel temps fait-il à … ?   **B** À … il fait …

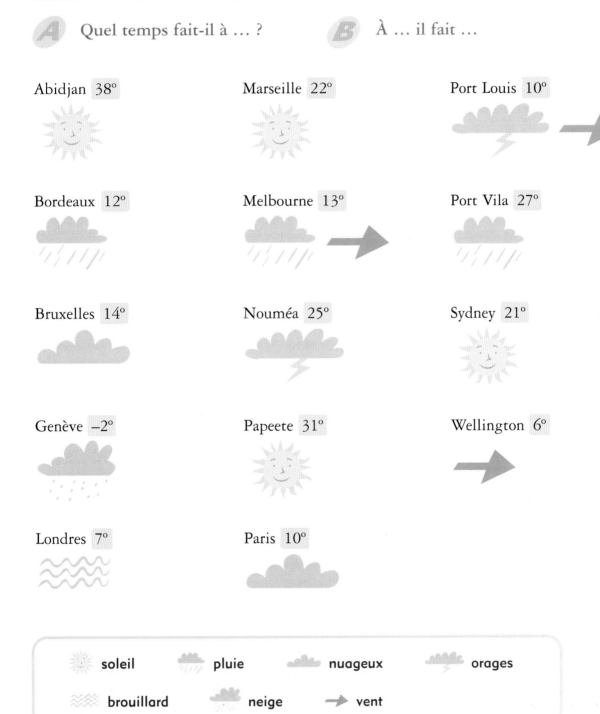

Abidjan 38°

Marseille 22°

Port Louis 10°

Bordeaux 12°

Melbourne 13°

Port Vila 27°

Bruxelles 14°

Nouméa 25°

Sydney 21°

Genève −2°

Papeete 31°

Wellington 6°

Londres 7°

Paris 10°

soleil   pluie   nuageux   orages

brouillard   neige   → vent

grammaire

1 Le verbe irrégulier faire

 rappel The irregular verb **faire** (*to do, to make*) covers a wide range of expressions in English. (See also Unit 11, p. 100.)

It is used to talk about leisure activities.

Qu'est-ce que tu fais ?	What are you doing?
Je fais du vélo.	I am going bike-riding.
On fait des bonshommes de neige.	We make snowmen.
Nous faisons des randonnées merveilleuses.	We are taking some marvellous walks.
On fait du ski.	We go skiing.

It is also used to talk about the weather in French, where it is used in the form **il fait…** The pronoun **il** is impersonal in this case, meaning not *he* but *it* (as it does in the time expressions **il est quatre heures**). When talking about other things (such as food or drink) you can say **c'est chaud / c'est froid** but when talking about the weather always use **il fait chaud / il fait froid**.

Quel temps fait-il ?	What's the weather like?
Il fait beau.	It's fine.
Il fait mauvais.	It's bad.
Il fait chaud.	It's hot.
Il fait froid.	It's cold.

INFOS

Terres australes et antarctiques françaises

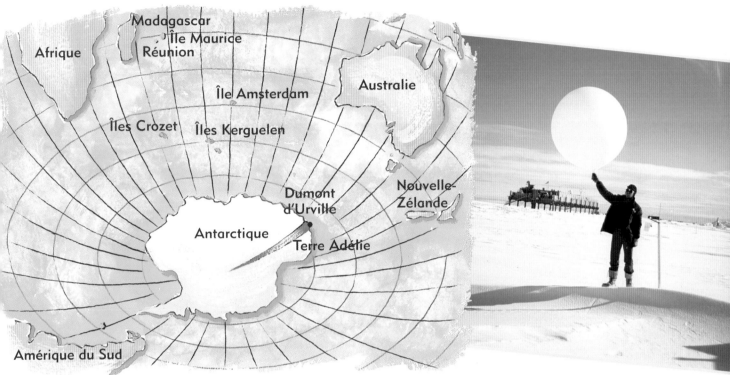

The map shows: Afrique, Madagascar, Île Maurice, Réunion, Île Amsterdam, Îles Crozet, Îles Kerguelen, Australie, Dumont d'Urville, Nouvelle-Zélande, Antarctique, Terre Adélie, Amérique du Sud

Antarctica is the fifth-largest and most southerly continent. It has the coldest climate on Earth and is almost entirely covered by an enormous ice sheet. If this melted through climate change, the amount of water in it would cause the sea level to rise more than 60 m worldwide. Polar regions provide us with significant warning signs of global climate change.

No country owns Antarctica, although a number of countries, including Australia and France, have claimed parts of it and are allowed to administer their areas under the Antarctic treaty. *Terre Adélie* is the French section. The 19th century explorer Dumont d'Urville landed there in 1840 during his voyage of discovery of the Antarctic region and named it after his wife.

The summer population of Antarctica numbers several thousand, but only a few hundred scientists and support personnel stay during the winters in semi-permanent bases. The French base is known as *Dumont d'Urville*. However, most of the French scientific activity is carried out at the Franco-Italian base *Concordia*, situated in the Australian Section of Antarctica, 1000 km inland from *Dumont d'Urville*.

The French islands of *Crozet*, *Kerguelen* and *Amsterdam-Saint Paul* are located on the boundary of the Indian Ocean and the Antarctic. Here again there is no permanent population – the islands are used for scientific research and as fishing bases. Their nearest French port is on the island of *Réunion*.

J.S.C. DUMONT D'URVILLE
Commandant l'expédition de l'Astrolabe

lecture

Quel temps fait-il dans le monde ?

Bonjour Pierre !
Je suis aux sports d'hiver dans les montagnes près de Montréal. Il y a beaucoup de neige et il fait très froid – moins dix degrés la nuit ! On fait du ski tous les jours, c'est vraiment chouette ! Mes cousins sont marrants : ils ont l'accent québecois. Bien le bonjour à Karim.
À bientôt,
Jean-Marie

Pierre Gaujac
97, rue Saint-André
75012 Paris
FRANCE

Salut, Didier !
Nous sommes dans les Dandenong, des montagnes à l'est de Melbourne. Ici il fait bon, l'air est frais et le ciel est clair. Nous faisons des randonnées dans la brousse tous les jours. Demain nous allons voir les oiseaux-lyre dans la forêt de Sherbrooke.
Mark

Didier Mesclon
117, avenue Raymond Naves
31500 Toulouse
FRANCE

Cher Jacques,
Ici à Wé il fait très chaud, mais il fait beau – c'est magnifique ! On fait de la natation tous les matins et puis l'après-midi on fait la sieste sous les palmiers. Je retrouve tous les membres de la famille de ma mère, c'est sympa. Bonjour à ta famille.
Christophe

Jacques Canala
23, rue Georges Clémenceau
98000 Nouméa

Chers Monsieur et Madame Bourlon,
Un grand bonjour de l'île de la Réunion. Nous passons des vacances formidables ici. Sur l'île il fait chaud, et il pleut presque tous les jours. Mais il y a de belles éclaircies, et nous faisons des randonnées merveilleuses. Nous revenons en France le 1er octobre.
Amitiés,
Gérard et Odile Lebrun

M. et Mme BOURLON
97, rue Saint-André
75012 Paris
FRANCE

Votre météo des vacances

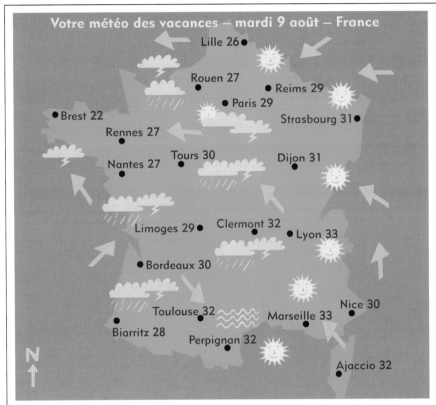

Votre météo des vacances – mardi 9 août – France

Lille 26
Rouen 27
Reims 29
Paris 29
Brest 22
Strasbourg 31
Rennes 27
Tours 30
Dijon 31
Nantes 27
Limoges 29
Clermont 32
Lyon 33
Bordeaux 30
Toulouse 32
Nice 30
Marseille 33
Biarritz 28
Perpignan 32
Ajaccio 32

N

Le temps se dégrade sérieusement : une zone de pluies et d'orages traverse presque toute la France. Attention aux violents orages.

Région parisienne – Ciel clair dans la matinée, mais avec des brumes dans certaines régions. Des orages fréquents dans l'après-midi, et de fortes pluies le soir.

Bords de mer – Manche : soleil au nord de la Seine, mais des orages le soir.
Atlantique : mauvais temps pendant toute la journée. Méditerranée : soleil radieux sur la Provence.

Montagne – Sur le Massif central et les Pyrénées : ciel nuageux. Sur les Vosges, le Jura et les Alpes : soleil, forte chaleur et orages.

Campagne – Du soleil sur les régions situées au nord-est de la Seine et à l'est : des orages le soir dans ces régions.

vocabulaire

noms
- arbre (m)
- bonhomme (m) de neige
- brouillard (m)
- chaleur (f)
- couleur (f)
- degré (m)
- entrée (f)
- feuille (f)
- froid (m)
- glace (f)
- marron (m)
- météo (f)
- neige (f)
- nid (m)
- piscine (f)
- plante (f)
- pluie (f)
- région (f)
- rendez-vous (m)
- route (f)

- soleil (m)
- température (f)
- temps (m)
- vent (m)
- verglas (m)

expressions
- en hausse
- Il fait...
- Quel temps fait-il ?
- un temps de chien
- un temps superbe
- Youpi !

adjectifs
- court(e)
- frais (fraîche)
- glacial(e)
- long(ue)
- prêt(e)

verbes
- avoir le droit de
- briller
- chanter
- fleurir
- geler
- pleuvoir
- tomber

adverbes, conjonctions, prépositions
- dehors
- dès
- parfois
- puis
- souvent
- tôt

Qu'est-ce que tu vas faire ce week-end ?

unité 15

situations

In this unit you will learn how to:

- talk about future plans
- talk more about leisure activities

À Paris

Louise : Qu'est-ce que tu vas faire ce week-end, Sophie ?

Sophie : Normalement le samedi soir je vais au cinéma, mais ce week-end je vais rendre visite à des amis à Versailles. Et puis dimanche matin je vais faire du vélo au Bois de Vincennes.

Louise : Tu aimes le vélo, toi ? Moi aussi !

Sophie : J'ai un nouveau VTT. C'est passionnant, le VTT ! Et toi, qu'est-ce que tu vas faire ?

Louise : Samedi soir je vais regarder la télé chez moi, comme d'habitude. J'adore le feuilleton *Amour, Gloire et Beauté* ! Dimanche matin je vais faire de la natation.

Sophie : Comme toutes les semaines ! Avec Karim ! Et dimanche après-midi, qu'est-ce que tu vas faire ?

Louise : Euh… pas grand-chose.

Sophie : Eh bien moi, je vais à l'exposition VTT. Tu m'accompagnes ?

Louise : Euh… c'est que… dimanche après-midi j'ai rendez-vous.

Sophie : Ah bon ? Avec qui ? Kaaarriimmm ?

Louise : Sophie ! Arrête enfin ! Tu es énervante !

À Nouméa

Tu as des projets pour le week-end?

Ah oui ! J'ai un programme super ! Samedi après-midi je vais aller à Sydney faire du surf à la plage de Bondi. Puis samedi soir je vais visiter Paris pour un concert de rock. Dimanche matin je vais grimper sur les pyramides en Égypte. Et dimanche après-midi je vais participer à une course de roller sur Hollywood Boulevard.

Ah oui ? Et la semaine prochaine tu vas faire un voyage dans la lune ?

Non, ce n'est pas possible. Toutes les places sont réservées.

Vrai ou Faux ?

1. Sophie va au cinéma samedi soir.
2. Dimanche matin, Sophie reste à la maison.
3. Sophie est une fana de VTT.
4. Sophie a rendez-vous avec Karim.
5. Jacques va voyager.

manières de dire

Qu'est-ce que tu vas faire ce week-end ?

Samedi après-midi je vais faire | du vélo.
de la planche à voile.
de l'aérobic.
une promenade.

Et puis dimanche je vais aller | au cinéma.
chez ma copine.
en ville avec des ami(e)s.

Ensuite, je vais jouer	au tennis.
	aux cartes.
	à la pétanque avec mon père.

Après ça, je vais regarder la télévision.

Tu as des projets pour	le week-end ?
	la semaine prochaine ?
	les vacances ?

activités orales

1 Work in groups. Each student draws up a timetable like the one below. Fill in your program for next weekend and then take turns to tell the others about it. Note down what the others say. Then check to see if you have got it right.

Programme pour le week-end prochain							
Prénom	vendredi soir	samedi matin	samedi après-midi	samedi soir	dimanche matin	dimanche après-midi	dimanche soir

2 Follow the same procedure as in Activity 1. However, this time, imagine that you are rich and famous and can go anywhere and do anything you want. You may need to ask your teacher for help with any words you don't know.

grammaire

1 Parler de l'avenir

Verbs can refer to actions that take place in the past, the present or the future.

In French there are two ways of talking about what you are going to do at some future time. You can use the present tense with a future time marker:

Demain, je joue au tennis avec Solange.
Dimanche matin, je vais à la piscine.
Les cours commencent la semaine prochaine.

Or you can use the **futur proche**, the immediate future tense. This is formed by using the verb **aller** (*to go*) + the infinitive of the action.

Samedi je vais jouer au tennis.
Est-ce que tu vas finir tes devoirs?
Nous allons attendre nos amis ici.
Ils vont faire de l'aérobic en classe

Only the **aller** part of the sentence changes its form according to the subject. The infinitive remains the same.

	je vais	
	tu vas	
	il va	
	elle va	
Ce soir	**on va**	**regarder la télévision**
	nous allons	
	vous allez	
	ils vont	
	elles vont	

2 Le samedi...

To say what happens on a certain day each week, we use **le** with the day in question:

Le samedi je fais de la natation.
On Saturdays I go swimming.

To say what is happening on one particular day, we use the day on its own:

Samedi je fais de la natation.
This Saturday I am going swimming.

le ski

Do you know what these events are?
You can look them up on the Internet.

- ○ Le Tour de France
- ○ Les 24H du Mans
- ○ Le Rallye de Monte Carlo
- ○ Le Tournoi de Roland Garros
- ○ Le Tournoi des six nations
- ○ La Coupe du monde

In their leisure activities, young French people are not very different from those in other Western countries. They watch television, play computer games and use the Internet for shopping, games, email and school work. They go to the movies, to concerts, to discos, exhibitions and the theatre.

An increasing awareness of health and the environment has led to a greater popularity of outdoor sports in France over the last twenty years. Here are the top ten most popular sports in France:

la pêche

1. la natation
2. le ski
3. le vélo
4. le tennis
5. le jogging
6. la randonnée
7. la pétanque
8. la pêche
9. le football
10. le volley

la pétanque

le football

la randonnée

lecture

Mes projets de vacances

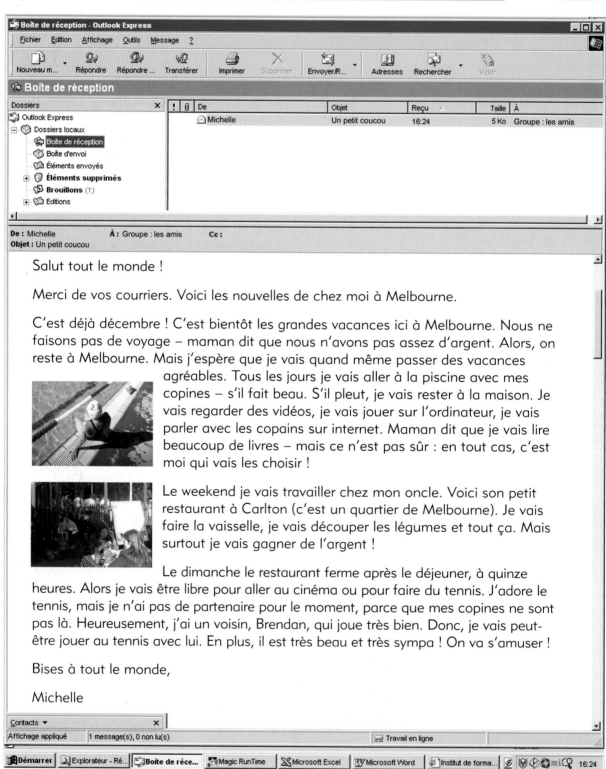

Boîte de réception - Outlook Express

Fichier   Edition   Affichage   Outils   Message   ?

Nouveau m...   Répondre   Répondre ...   Transférer   Imprimer   Supprimer   Envoyer/R...   Adresses   Rechercher   Vider

Boîte de réception

Dossiers	!	✓	De	Objet	Reçu	Taille	À
Outlook Express			Michelle	Un petit coucou	16:24	5 Ko	Groupe : les amis

Dossiers
- Outlook Express
  - Dossiers locaux
    - Boîte de réception
    - Boîte d'envoi
    - Éléments envoyés
    - **Éléments supprimés**
    - **Brouillons** (1)
    - Editions

De : Michelle   **À :** Groupe : les amis   **Cc :**
Objet : Un petit coucou

Salut tout le monde !

Merci de vos courriers. Voici les nouvelles de chez moi à Melbourne.

C'est déjà décembre ! C'est bientôt les grandes vacances ici à Melbourne. Nous ne faisons pas de voyage – maman dit que nous n'avons pas assez d'argent. Alors, on reste à Melbourne. Mais j'espère que je vais quand même passer des vacances agréables. Tous les jours je vais aller à la piscine avec mes copines – s'il fait beau. S'il pleut, je vais rester à la maison. Je vais regarder des vidéos, je vais jouer sur l'ordinateur, je vais parler avec les copains sur internet. Maman dit que je vais lire beaucoup de livres – mais ce n'est pas sûr : en tout cas, c'est moi qui vais les choisir !

Le weekend je vais travailler chez mon oncle. Voici son petit restaurant à Carlton (c'est un quartier de Melbourne). Je vais faire la vaisselle, je vais découper les légumes et tout ça. Mais surtout je vais gagner de l'argent !

Le dimanche le restaurant ferme après le déjeuner, à quinze heures. Alors je vais être libre pour aller au cinéma ou pour faire du tennis. J'adore le tennis, mais je n'ai pas de partenaire pour le moment, parce que mes copines ne sont pas là. Heureusement, j'ai un voisin, Brendan, qui joue très bien. Donc, je vais peut-être jouer au tennis avec lui. En plus, il est très beau et très sympa ! On va s'amuser !

Bises à tout le monde,

Michelle

Contacts ▾

Affichage appliqué   1 message(s), 0 non lu(s)   Travail en ligne

Démarrer | Explorateur - Ré... | Boîte de réce... | Magic RunTime | Microsoft Excel | Microsoft Word | Institut de forma...   16:24

vocabulaire

noms
- aérobic (m)
- amour (m)
- beauté (f)
- bois (m)
- course (f)
- exposition (f)
- fana(tique) (m/f)
- feuilleton (m)
- gloire (f)
- lune (f)
- natation (f)
- pétanque (f)
- place (f)
- planche (f) à voile
- programme (m)
- projet (m)
- promenade (f)
- pyramide (f)
- rendez-vous (m)
- roller (m)
- surf (m)
- vélo (m)
- VTT (m) (vélo tout terrain)
- voyage (m)

verbes
- accompagner
- arrêter
- grimper
- participer
- rendre visite à
- visiter
- voyager

expressions
- Arrête enfin !
- Pas grand-chose.

adjectifs
- énervant(e)
- nouveau (nouvelle)
- passionnant(e)
- prochain(e)
- réservé(e)

Je ne suis pas d'accord

In this unit you will learn how to:

- plan a celebration
- express your opinion

À Melbourne

Chut ! On parle de l'anniversaire de Mark…

situations

Voici la liste des invités. Tout le monde est là, non ?

Non, Greg n'est pas là. On ne l'invite pas ?

Ah non ! Il est rasoir !

Mais c'est un copain de surf de Mark… Ils sont toujours ensemble…

Bon, je vois... D'accord pour inviter Greg.

Oui, tu as raison. Il joue mal et il chante mal. OK, j'apporte mes CD alors. Toi aussi, Michelle.

Et comme musique ? On va danser, non ?

Oui, bien sûr. On va demander à Christos d'apporter sa guitare pour chanter et danser.

Oh non ! Christos, il est nul à la guitare ! J'aime pas, moi!

Oui, d'accord. Rap ? Techno ? Variétés françaises ?

Ben… un peu de tout, quoi.

À Paris

Quel restaurant choisir ?

Ah le *Dodo* ! Spécialités mauriciennes.

Ah non, c'est trop cher.

Oui, tu as raison. Alors, *Chez Suzette* ?

Mmm... oui, pourquoi pas ?

Ah, non ! Je ne suis pas d'accord. *Chez Suzette*, c'est pour les pépés et les mémés.

Moi, je pense que le café *Sandwichs à Go-go* n'est pas mal.

Tu trouves ? Regarde : des sandwichs, encore des sandwichs, toujours des sandwichs. C'est rasoir.

Ah, voilà le restaurant parfait : le *Rockodile* ! Émilie adore le rock. Et elle adore danser.

Qu'est-ce qu'on mange ?

Des hamburgers et des frites.

Miam miam !

Alors, c'est décidé. On va au *Rockodile* !

Au *Rockodile*... avec Émilie... complètement débile !

Vrai ou Faux ?

1 Greg est sur la liste des invités à la fête.
2 Katie et Michelle ne sont pas d'accord.
3 On va chanter et danser à la musique de Christos.
4 Michelle et André vont chercher des pizzas et des boissons fraîches.
5 Émilie va venir à Paris pour fêter son anniversaire.
6 Yves est très content de la visite de sa cousine Émilie.
7 On va choisir un bon restaurant pour la célébration.
8 Ils ont tous envie d'aller au restaurant *Chez Suzette*.

manières de dire

Comment tu trouves ce film ? ce restaurant ?

Qu'est-ce que tu penses de...

Et à ton avis ?

Je trouve	que c'est	excellent.
Je pense		bon.
		pas mal.
		mauvais.

Moi, je pense que...

Je trouve qu'il / elle est sympa. désagréable.

À mon avis...

Je suis d'accord.

Je ne suis pas d'accord.

Tu as raison.

Tu as tort.

activités orales

1 Work in groups of three or four. Imagine you are organising a surprise celebration. Work out a scenario where you decide on the food, the drinks and the music. Then act it out in front of the class.

2 Work in groups for three or four. Read the restaurant reviews in the **Lecture** on pages 146–7. Decide which restaurant you would like to go to and why. (Find at least three reasons.) Then tell the rest of the group about your choice. See if they agree.

> Je choisis....
>
> À mon avis...
>
> Je trouve que...
>
> J'aime... / Je n'aime pas...

grammaire

1 Exprimer une opinion

There are two verbs which are frequently used to express an opinion: **penser** (*to think*) and **trouver** (*to find*).

Qu'est-ce que vous pensez de ce restaurant ?

Moi, je pense que ce restaurant est excellent.

Comment tu trouves ce livre ?

Je trouve que ce livre est intéressant.

2 Avoir raison / avoir tort

In French we use the verb **avoir** when talking about whether people are right or wrong, although in English we use the verb *to be*.

Tu as raison.   You are right.

Tu as tort.   You are wrong.

3 Les verbes irréguliers venir et voir

The irregular verb **venir** (*to come*) belongs to the third group of French verbs.

Émilie vient à Paris pour fêter son anniversaire.

venir — **to come**

je viens	I come	nous venons	we come
tu viens	you come	vous venez	you come
il vient	he comes	ils viennent	they come
elle vient	she comes	elles viennent	they come
on vient	we come		

The irregular verb **voir** (*to see*) also belongs to this group.

Bon je vois... D'accord pour inviter Greg.

voir — **to see**

je vois	I see	nous voyons	we see
tu vois	you see	vous voyez	you see
il voit	he see	ils voient	they see
elle voit	she see	elles voient	they see
on voit	we see		

INFOS

La politesse en France

In France it is considered polite behaviour to:

- dunk your *croissants* or *tartines* in your morning cup of coffee or hot chocolate.
- either shake hands or *faire la bise* to your friends or colleagues when you see them every day.
- say *Bon appétit !* before eating a meal.
- say *Bonjour* when entering a room or shop. If you are in a baker's shop or a small café, nearly every one will say *Bonjour, Messieurs-Dames* or just *Messieurs-Dames* as they come in, whether they know the other people or not.

It is not polite behaviour to:

- make noises whilst yawning.
- say *tu* to an adult whom you have just met.

But it is not considered necessary to apologize for sneezing (however violently!) in public.

lecture

Les restaurants du quartier

Chez Suzette

Un petit restaurant traditionnel avec une ambiance calme et une terrasse agréable en été. La cuisine n'est pas originale, mais elle est de bonne qualité. Des soupes savoureuses, des rôtis et des grillades délicieux, des desserts simples mais bons : des tartes, des fruits de saison, des crèmes caramel. Prix : pour tous les budgets.

Sandwichs à Go-go

Ici on peut manger une infinité de sandwichs. C'est tout. Des sandwichs au fromage, au jambon, au pâté... avec ou sans beurre. Le pain est frais, mais les ingrédients ne sont pas toujours bons. Les prix sont raisonnables et le personnel est sympathique. Le restaurant est fréquenté surtout par des jeunes. Alors, si vous avez de 15 à 25 ans vous allez peut-être y trouver des copains.

Le Dodo

Le nom de ce restaurant indique qu'il offre des spécialités mauriciennes : des plats au riz et des currys épicés. Nous recommandons tous les currys – de poulet, de poisson, d'agneau. Ils sont tous excellents : bien préparés et savoureux... mais attention, ils sont très épicés ! Alors, si vous n'aimez pas les plats épicés, choisissez plutôt les grillades : elles sont toutes très bonnes. Les desserts ne sont pas très intéressants, quand même. Prenez plutôt l'assiette de fruits tropicaux. Les fruits sont frais, variés et délicieux. Les prix ne sont pas modestes : n'oubliez pas votre carte de crédit !

Au Rockodile

Est-ce un restaurant ou une discothèque ?
Décor : néon et plastique. Ambiance :
musique très forte : rock, techno... Au
Rockodile, on danse, c'est sûr. Mais est-ce
qu'on mange ? Mouais, si vous avez du
courage. Des hamburgers à la sauce tomate –
affreux, immangeables. Servis avec des frites
dégoûtantes. Les boissons ? Du Coca-Cola ou
des milk-shakes ! À éviter, non ?

vocabulaire

noms
- billet (m) d'avion
- célébration (f)
- guide (m)
- guitare (f)
- invité(e) (m/f)
- liste (f)
- mémé (f) (fam)
- pépé (m) (fam)
- variétés (fpl) françaises

adjectifs
- débile
- parfait(e)

**adverbes,
conjonctions,
prépositions**
- complètement

verbes
- apporter
- avoir envie de
- avoir raison
- avoir tort
- chanter
- choisir
- danser
- décider
- demander
- discuter
- emmener
- fêter
- inviter
- organiser
- penser
- prévoir
- trouver
- venir
- voir

verbes
tableaux des conjugaisons

1 1st group -er verbs

Most French verbs belong to this first group. They are indicated in the *Vocabulaire* with a **1**. They follow this pattern of endings:

parler			to speak
je parle		nous parlons	
tu parles		vous parlez	
il parle		ils parlent	
elle parle		elles parlent	
on parle			

Other verbs that follow this pattern of endings are:

accepter	demander	laisser	rencontrer
accompagner	désirer	monter	rentrer
adopter	détester	montrer	rester
adorer	dîner	neiger	retrouver
aimer	discuter	oublier	risquer de
apporter	écouter	participer	rouler
arrêter	étudier	passer	sauter
arriver	éviter	penser	surveiller
briller	expliquer	plaisanter	téléphoner à
chanter	exposer	porter	tomber
chercher	fêter	poser	tourmenter
collectioner	fréquenter	préparer	tourner
continuer	gagner	prêter	travailler
coûter	garder	profiter	traverser
critiquer	grignoter	proposer	trouver
danser	grimper	raconter	utiliser
découper	habiter	rechercher	visiter
décider	inviter	redoubler	voler
déjeuner	jouer	regarder	

1* 1st group -er verbs with minor variations

Some verbs in this group have minor variations to spelling and pronunciation, but otherwise follow the same pattern. They are indicated in the *Vocabulaire* with a **1***. These are:

acheter (to buy)

j'achète	nous achetons
tu achètes	vous achetez
il achète	ils achètent
elle achète	elles achètent
on achète	

commencer (to begin, to start)

je commence	nous commençons
tu commences	vous commencez
il commence	ils commencent
elle commence	elles commencent
on commence	

The verb **recommencer** (to start again) follows the same pattern.

effacer (to (wipe) clean, to rub out)

j'efface	nous effaçons
tu effaces	vous effacez
il efface	ils effacent
elle efface	elles effacent
on efface	

emmener (to take (person))

j'emmène	nous emmenons
tu emmènes	vous emmenez
il emmène	ils emmènent
elle emmène	elles emmènent
on emmène	

espérer (to hope)

j'espère	nous espérons
tu espères	vous espérez
il espère	ils espèrent
elle espère	elles espèrent
on espère	

The verbs **digérer** and **préférer** follow the same pattern.

manger (to eat)

je mange	nous mangeons
tu manges	vous mangez
il mange	ils mangent
elle mange	elles mangent
on mange	

The verbs **bouger** and **changer** follow the same pattern.

voyager (to travel)

je voyage	nous voyageons
tu voyages	vous voyagez
il voyage	ils voyagent
elle voyage	elles voyagent
on voyage	

1^R 1st group -er reflexive verbs

Verbs which have a reflexive pronoun between the subject and the verb are called reflexive verbs. They are indicated in the *Vocabulaire* with a 1^R.

called

s'appeler

je m'appelle	nous nous appelons
tu t'appelles	vous vous appelez
il s'appelle	ils s'appellent
elle s'appelle	elles s'appellent
on s'appelle	

se présenter (to introduce oneself)

je me présente	nous nous présentons
tu te présentes	vous vous présentez
il se présente	ils se présentent
elle se présente	elles se présentent
on se présente	

Other reflexive verbs include **s'amuser** and **se dépêcher**.

2 2nd group -ir verbs

This is a much smaller group of verbs. They are indicated in the *Vocabulaire* with a 2 . They follow this pattern of endings:

finir			to finish
	je finis	nous finissons	
	tu finis	vous finissez	
	il finit	ils finissent	
	elle finit	elles finissent	
	on finit		

Other verbs that follow this pattern are: **choisir**, **fleurir** and **punir**.

3 3rd group irregular verbs

These verbs are all irregular. They do not follow any of the above patterns. They are indicated in the *Vocabulaire* with a 3 . The four most important and frequently used of these verbs are:

être			to be
	je suis	nous sommes	
	tu es	vous êtes	
	il est	ils sont	
	elle est	elles sont	
	on est		

avoir			to have
	j'ai	nous avons	
	tu as	vous avez	
	il a	ils ont	
	elle a	elles ont	
	on a		

aller			to go
	je vais	nous allons	
	tu vas	vous allez	
	il va	ils vont	
	elle va	elles vont	
	on va		

faire			to do
	je fais	nous faisons	
	tu fais	vous faites	
	il fait	ils font	
	elle fait	elles font	
	on fait		

Other irregular verbs include the following:

attendre (to wait)

j'attends	nous attendons
tu attends	vous attendez
il attend	ils attendent
elle attend	elles attendent
on attend	

descendre (to go down)

je descends	nous descendons
tu descends	vous descendez
il descend	ils descendent
elle descend	elles descendent
on descend	

prendre (to take)

je prends	nous prenons
tu prends	vous prenez
il prend	ils prennent
elle prend	elles prennent
on prend	

The verb **apprendre** follows the same pattern.

rendre visite à (to visit (a person))

je rends visite à	nous rendons visite à
tu rends visite à	vous rendez visite à
il rend visite à	ils rendent visite à
elle rend visite à	elles rendent visite à
on rend visite à	

vendre (to sell)

je vends	nous vendons
tu vends	vous vendez
il vend	ils vendent
elle vend	elles vendent
on vend	

boire (to drink)

je bois	nous buvons
tu bois	vous buvez
il boit	ils boivent
elle boit	elles boivent
on boit	

dire (to say, to tell)

je dis	nous disons
tu dis	vous dites
il dit	ils disent
elle dit	elles disent
on dit	

The verb **lire** follows the same pattern.

venir (to come)

je viens	nous venons
tu viens	vous venez
il vient	ils viennent
elle vient	elles viennent
on vient	

The verb **revenir** follows the same pattern.

voir (to see)

je vois	nous voyons
tu vois	vous voyez
il voit	ils voient
elle voit	elles voient
on voit	

The verb **prévoir** follows the same pattern.

adjectifs et noms

Feminine forms of adjectives

The general rule for forming feminine adjectives is to add **-e** to the masculine form:

français   française

If the adjective ends in **-e** there is no change:

belge   belge

Other adjectives change as follows:

-n	⟶	-nne	australien	australienne
-ng	⟶	-ngue	long	longue
-et	⟶	-ette	violet	violette
-er	⟶	-ère	premier	première
-if	⟶	-ive	sportif	sportive
-eux	⟶	-euse	dangereux	dangereuse

Special cases:

gentil	gentille	beau	belle
gros	grosse	blanc	blanche
vieux	vieille		

Some adjectives do not have feminine forms, they are invariable:

marron   super   sympa

Plural forms of nouns and adjectives

The general rule to form plurals of nouns and adjectives is to add **-s** or **-x**.

un étudiant   des étudiants
un jeu   des jeux

If the noun or adjective ends in **-s**, there is no change:

un étudiant français   des étudiants français

If the noun or adjective ends in **-x**, there is no change:

un vieux livre   de vieux livres

For nouns or adjectives ending ing **-eau** or **-eu**, add **-x**.

un beau chien   de beaux chiens
un cheveu   des cheveux

Nouns ending in **-al** change to **-aux**.

un animal   des animaux

expressions utiles

tu	vous	
Arrête !	Arrêtez !	Stop!
Assieds-toi !	Asseyez-vous !	Sit down!
Attends !	Attendez !	Wait!
Commence !	Commencez !	Begin!
Dépêche-toi !	Dépêchez-vous !	Hurry up!
Écoute !	Écoutez !	Listen!
Entre !	Entrez !	Come in!
Fais attention !	Faites attention !	Be careful!
Lève-toi !	Levez-vous !	Stand up! / Get up!
Parle !	Parlez !	Speak!
Regarde !	Regardez !	Look! / Watch!
Répète !	Répétez !	Repeat!
Sors !	Sortez !	Get out !
Tais-toi !	Taisez-vous !	Be quiet!
Vas-y !	Allez-y !	Go on!
Viens !	Venez !	Come here!

à bientôt   see you soon
à demain   see you tomorrow
à la maison   (at) home
à plus tard   till later
à table   dinner's ready
à tout à l'heure   see you soon
à votre service   at your service
ah bon (?)   oh really(?)
allez !   come on!, go on!
arrête enfin !   stop it!
attention !   watch out!, be careful!
au contraire   on the contrary
au revoir   goodbye
au travail !   let's get to work!
avec plaisir   gladly, with pleasure
berk !   yuk!
bienvenue   welcome
bon anniversaire   happy birthday
bon appétit   enjoy your meal
bon marché   good value
bon séjour   enjoy your stay
bon, ben…   well …
bonjour   hello
bonne fête   happy festival, happy name day
bonne idée   good idea
bref   in short
ça commence bien   that's a good start
ça va   things are OK
ça va ?   how are things?

ça va très bien   things are great
ce n'est pas grave   it doesn't matter
c'est dommage   it's a pity
c'est n'est pas vrai !   I don't believe it!
c'est pas possible   it's not possible
c'est qui ?   who is it?
c'est tout   that's all
chic !   great!
chut !   quiet!
comme d'habitude   as usual
comment ?   what?, how?
comment ça ?   how can that be?
comment ça va ?   how are things?
courage !   be brave!
d'accord   OK
d'avance   in advance
de rien   it's nothing
de saison   in season
désolé(e)   sorry
dis donc   I must say
en ce moment   right now
en plus   what is more
enchanté(e)   pleased to meet you
hé !   hey!
il y a   there is / there are
je m'appelle   my name is
je voudrais   I would like
le / la voilà   there he / she is
miam, miam !   yummy!
merci   thank you

oh là là !   wow!
on se présente ?   shall we introduce ourselves?
on y va   let's go
ou bien   or otherwise
pardon   excuse me, sorry
pas d'accord   I don't agree
pas grand-chose   not much
pas mal   not bad
pas question   no way
pas très bien   not very well
peut-être   perhaps
poisson d'avril   April Fool
pourquoi ?   why?
quel chic !   what style!
quel temps fait-il ?   what's the weather like?
quelle horreur !   how dreadful!
quelle idée !   what an idea!
qu'est-ce qu'il y a ?   what's the matter?
qui c'est ? / qui est-ce ?   who is it?
salut   hi
s'il vous plaît   please
tu plaisantes !   you're kidding!
vive les vacances !   long live the holidays!
voilà pourquoi   that is why
volontiers   gladly, I'd love to
voyons   let's see
zut !   darn it!

vocabulaire français-anglais

Key to symbols

(m) masculine noun
(f) feminine noun
(mpl) masculine plural noun
(fpl) feminine plural noun

1 1st group -er verbs
(see p. 148).

1* 1st group -er verbs with a
minor change (see pp. 148–9).

1ᴿ 1st group -er reflexive verbs
(see p. 149).

2 2nd group -ir verbs
(see p. 150).

3 3rd group irregular verbs
(see pp. 150–1).

Adjectives are usually given in
the masculine singular form followed by feminine singular endings in brackets.

a

à in, to
à bientôt see you soon
à côté de next to
à la mode in fashion, fashionable
à plus tard till later
à vélo on a bicycle, by bicycle
absent(e) absent, away
accepter to accept
accès (m) access
accessoire (m) accessory
accompagner to accompany, to go with
accueil (m) welcome
achats (mpl) purchases
acheter **1*** to buy
acteur (m), actrice (f) actor
activité (f) activity
adopter **1** to adopt
adorer **1** to like a lot
adresse (f) address

aérobic (m) aerobics
affaire (f) bargain, good deal
affaires (fpl) things, business
affreux (-euse) awful
africain(e) African
Afrique (f) Africa
agent (m) agent
agent (m) de police police officer
agneau (m) lamb
agréable pleasant
aimer **1** to like, to love
air (m) air, look
Algérie (f) Algeria
algérien(ne) Algerian
alimentaire of food
aliments (mpl) food
Allemagne (f) Germany
allemand (m) German
aller **3** to go
alors so, then
ambiance (f) atmosphere
américain(e) American
ami (m), amie (f) friend
amour (m) love
s'amuser **1ᴿ** to enjoy oneself
an (m) year
ananas (m) pineapple
anglais(e) English
Angleterre (f) England
animal (m) animal, pet
année (f) year
anniversaire (m) birthday, anniversary
août August
apéritif (m) pre-dinner drink
appartement (m) apartment
s'appeler **1ᴿ** to be called
apporter **1** to bring (things)
apprendre **3** to learn
après after
après-midi (m) afternoon
arbre (m) tree
argent (m) money
armé(e) armed
Armistice (m) Armistice Day
arrêter **1** to stop
arriver **1** to arrive
arrondissement (m) district
artistique artistic
arts (mpl) arts

Ascension (f) Ascension Day
assez rather, enough, quite
assiette (f) plate, dish
assis(e) sitting
Assomption (f) Assumption Day
Atlantique (m) Atlantic Ocean
attendre **3** to wait for
attention ! watch out!, be careful!
au bout de at the end of
au coin de at the corner of
au contraire on the contrary
au revoir goodbye
aujourd'hui today
aussi also, too, as well
Australie (f) Australia
australien(ne) Australian
authentique authentic
autobus (m) bus
automne (m) autumn
autoroute (f) freeway
autour de around
autre, d'autres other(s)
Autriche (f) Austria
avant before
avec with
avenue (f) avenue
avis (m) opinion
avoir **3** to have
avoir de la chance to be lucky
avoir envie de to want
avoir faim to be hungry
avoir l'air to look, to seem
avoir le droit to be allowed
avoir raison to be right
avoir soif to be thirsty
avoir sommeil to be sleepy
avoir tort to be wrong
avril April

b

baladeur (m) personal stereo
banane (f) banana
banc (m) seat, bench
bande dessinée (f) comic strip
banque (f) bank
baskets (fpl) runners
basque Basque
BD (f) comic strip
beau (belle) handsome, beautiful, fine

beaucoup de   a lot of
beauté (f)   beauty
belge   Belgian
Belgique (f)   Belgium
belle   beautiful
béret (m)   beret
berk !   yuk!
bêtise (f)   silly or foolish action
beurre (m)   butter
bien   well, good
bien élevé(e)   well brought up, polite
bientôt   soon
bienvenue (f)   welcome
bière (f)   beer
bifteck (m)   steak
billet (m)   ticket, banknote
billet (m) d'avion   plane ticket
biscuit (m)   biscuit
bise (f)   kiss
bizarre   bizarre, strange
blanc(he)   white
blé (m)   wheat, corn
blé (m) noir   buckwheat
bleu(e)   blue
blond(e)   blond(e)
boeuf (m)   beef
boire 3   to drink
bois (m)   wood
boisson (f)   drink
bon appétit   enjoy your meal
bon marché   cheap
bon(ne)   good
bonbon (m)   lolly
bonhomme (m) de neige   snowman
bonjour   hello
bouche (f)   mouth
boucher (m)   butcher
bouger 1*   to move around
boulangerie (f)   bakery
boulevard (m)   boulevard
braquage (m)   hold-up
bras (m)   arm
bref   in short
Bretagne (f)   Brittany
briller 1   to shine
britannique   British
brouillard (m)   fog
brousse (f)   bush
brume (f)   mist
brun(e)   brown
budget (m)   budget
bureau (m)   office
bureau (m) de poste   post office
bus (m)   bus

C

ça   that
cadeau (m)   present, gift
café (m)   coffee, café
cahier (m)   workbook, exercise book
calculette (f)   calculator
calendrier (m)   calendar
calme   calm
camarade (m/f)   (class)mate, friend
campagne (f)   countryside
Canada (m)   Canada
canadien(ne)   Canadian
canari (m)   canary
cantine (f)   canteen
capitale (f)   capital
caractère (m)   character, nature
cari (m)   curry
carotte (f)   carrot
carte (f)   card, map
carte (f) de crédit   credit card
carte (f) postale   postcard
cartes (fpl)   playing cards
casquette (f)   cap
cassé(e)   broken
catastrophique   disastrous
CD (m)   CD
cédérom (m)   CD-ROM
ce (cet, cette)   it, this, that
ceinture (f)   belt
célébration (f)   celebration
célèbre   famous
centime (m)   centime, cent
céréales (fpl)   breakfast cereal
certain(e)   certaine
ces   these, those
c'est   it is
chaise (f)   chair
chaleur (f)   heat
champion (m), championne (f)   champion
changer 1*   to change
chanteur (m), chanteuse (f)   singer
chaque   each, every
chat (m), chatte (f)   cat
châtain(e)   chestnut brown
chaud(e)   warm
chaussure (f)   shoe
chemin (m)   path, way
chemin (m) de fer   railway
cher (-ère)   expensive
chercher 1   to look for
cheveux (mpl)   hair
chez   at the house / place of
chic   stylish
chic !   great!

chien (m), chienne (f)   dog
Chine (f)   China
chinois(e)   Chinese
chocolat (m)   chocolate
chocolat (m) chaud   hot chocolate
choisir 2   to choose
choix (m)   choice
chouette   lovely
choux-fleurs (mpl)   cauliflowers
chut !   quiet!
ci-dessous   below
ciel (m)   sky
cinéma (m)   cinema
cinquième   fifth
citron (m)   lemon
clair(e)   clear, light
classe (f)   class
classique   classical
clavier (m)   keyboard
climat (m)   climate
climatisé(e)   air-conditioned
Coca-Cola (m)   Coca-Cola
coin (m)   corner, area
collectionner 1   to collect
collège (m)   junior secondary school
combien ?   how much?, how many?
comme   as, like
commencer 1*   to start
comment ?   how?, what?
commerçant (m), commerçante (f)   shopkeeper
compagnon (m)   companion
compas (m)   pair of compasses
complet (-ète)   full
complètement   completely
composé(e)   mixed
concert (m)   concert
confiture (f)   jam
confortable   comfortable
conseiller (m), conseillère (f)   consultant
content(e)   happy, pleased
continu(e)   continuous
continuer 1   to continue, to keep going
contre   against
contrôle (m)   test
cool (fam)   cool
copain (m), copine (f)   friend
corps (m)   body
correct(e)   polite, well-behaved
correspondant (m), correspondante (f)   correspondant, penpal
cosmonaute (m/f)   cosmonaut
couleur (f)   colour
Coupe (f) Davis   Davis Cup
Coupe (f) d'Europe   European Cup

coupé(e) cut
couple (m) couple
courage (m) courage
courant(e) standard
courrier (m) mail
cours (m) course, class
course (f) race
courses (fpl) shopping
court(e) short
couscous (m) couscous
cousin (m), cousine (f) cousin
coûter 1 to cost
crayon (m) pencil
crème (f) (Chantilly) (Chantilly) cream
crème (f) caramel crème caramel
créole creole, Kreol
crêpe (f) pancake
critiquer 1 to criticise
crocodile (m) crocodile
croissant (m) croissant
crudités (fpl) raw vegetables
cuisine (f) cooking, kitchen
culturel(le) cultural

d

d'abord firstly
d'accord OK
d'avance in advance
dangereux (-euse) dangerous
danse (f) dance
danser 1 to dance
date (f) date
de from, of
de loin by far
de plus moreover
de retour back
de saison in season
de taille (f) moyenne medium-sized
débile idiotic
décembre December
décoloré(e) bleached
découper 1 to cut out
découvert(e) open, uncovered
dégoûtant(e) disgusting
se dégrader 1ᴿ to get worse
degré (m) degree
dehors outside
déjà already
déjeuner 1 to eat lunch
déjeuner (m) lunch
délai (m) time period
délicieux (-euse) delicious
demain tomorrow
demander 1 to ask (for)

demi(e) half
demi-heure (f) half-hour
se dépêcher 1ᴿ to hurry
depuis since, for
dernier (-ère) last, latest
derrière behind
des some
dès from the time
descendre 3 to go down, to get down
désirer 1 to want
désolé(e) sorry
dessert (m) dessert
desservi(e) served
dessin (m) art, drawing
dessus below, underneath
détail (m) detail
détester 1 to detest
deuxième second
devant in front of
devoir (m) task
devoirs (mpl) homework
d'habitude usually
digérer 1* to digest
dimanche Sunday
dîner 1 to dine
dîner (m) dinner
dire 3 to say, to tell
discman (m) personal CD player
discothèque (f) nightclub
disposition (f) service, disposition
dixième tenth
docteur (m) doctor
donc so
douche (f) shower
doux (douce) mild-natured
droit (m) right (to have the right to…)
droite right (direction)
drôle funny, strange
DVD (m) DVD

e

eau (f) water
eau (f) minérale mineral water
école (f) school
école (f) primaire primary school
écossais(e) Scottish
Écosse (f) Scotland
écouter 1 to listen (to)
éducation (f) civique civics
éducation (f) physique physical education
effacer 1* to (wipe) clean
Égypte (f) Egypt
égyptien(ne) Egyptian
élégant(e) elegant

elle she, her
elles they, them (feminine)
emmener 1* to take (person)
emploi (m) du temps timetable
employé(e) employee
en in, on
en brosse spiky, flat-top (hair)
en direct live
en face de opposite
en famille with the family
en forme fit, healthy
en hausse rising
en moins de in less than
en plastique made of plastic
en plus what is more
en retard late
en train de in the act of
en vacances on holiday
en vélo on a bicycle, by bicycle
en voyage travelling
enchanté(e) delighted, very pleased
encore still, yet, again, even
énervant(e) annoying
enfant (m/f) child
enfin at last, finally
ensemble together
ensuite then, next
entre between
entrée (f) entrance, entrée
épicé(e) spicy
épicier (m), épicière (f) grocer
équilibré(e) balanced
équipe (f) team
Espagne (f) Spain
espagnol(e) Spanish
espérer 1* to hope
essentiel (m) the main thing
est (m) east
et and
étage (m) floor
États-Unis (mpl) United States
été (m) summer
étranger (-ère) foreign
être 3 to be
être d'accord to agree
étudier 1 to study
euro (m) euro
eux them
éviter 1 to avoid
expliquer 1 to explain
exposer 1 to expose
exposition (f) show, exhibition
extraterrestre (m/f) extra-terrestrial, alien

f

facile easy
faim (m) hunger
faire to do, to make, to play (sport)
famille (f) family
fana, fanatique crazy about
fatigué(e) tired
faux (fausse) false, wrong
femme (f) woman, wife
fenêtre (f) window
féroce ferocious
fête (f) celebration, festival
fête (f) nationale Bastille Day, national day
fêter 1 to celebrate
feuille (f) leaf
feuilleton (m) serial
février February
fiche (f) card, form
fille (f) girl, daughter
film (m) film
film (m) d'horreur horror film
fils (m) son
finale (f) final match
finalement at last, finally
finir 2 to finish
Finlande (f) Finland
fixé(e) firmly attached
fleurir 2 to flower
folle crazy
foot, football (m) soccer
forêt (f) forest
forme (f) form
formidable great, terrific, fantastic
Formule 1 (f) Formula One
fort(e) strong, good at
fou (folle) crazy
foyer (m) household
fraîcheur (f) freshness
frais (fraîche) fresh, cool
français(e) French
France (f) France
frappé(e) iced
fréquenter 1 to go often
frère (m) brother
frisé(e) curly
frites (fpl) (hot) chips
froid (m) the cold
froid(e) cold
fromage (m) cheese
frontal(e) front
futuriste futuristic

g

gagner 1 to earn, to win

galette (f) pancake
gamme (f) range
garçon (m) boy
garder 1 to guard, to keep
gare (f) railway station
gare (f) maritime harbour station
gare (f) routière bus station
gateau (m) cake, biscuit
gauche left
gazeux (-euse) sparkling, fizzy
geler 1* to freeze
génial(e) clever
gentil(le) nice, kind
géo, géographie (f) geography
géométrie (f) geometry
glace (f) ice, ice-cream
glacé(e) iced
glacial(e) glacial
gloire (f) glory
gomme (f) eraser
gourmet (m) gourmet
grand(e) big, tall
grand magasin (m) department store
grand-mère (f) grandmother
grand-père (m) grandfather
grands-parents (mpl) grandparents
gras(se) fatty (food)
grave serious
grec (grecque) Greek
Grèce (f) Greece
grignoter 1 to nibble
grillade (f) grill
grimper 1 to climb
gris(e) grey
gros(se) fat
groupe (m) group
guide (m) guide
gymnastique (f) gymnastics, exercise

h

habiter 1 to live (in, at)
haricot (m) bean
harissa (f) chilli paste
hé ! hey!
heure (f) hour, time
heureusement luckily, fortunately
histoire (f) history
historique historical
hiver (m) winter
hockey (m) hockey
homme (m) man
hôtel (m) hotel
huitième eighth

i

ici here
idéal (m) ideal
idée (f) idea
identité (f) identity
igname (f) yam
il he
il y a there is, there are
île (f) island
Île (f) Maurice Mauritius
ils they (masculine and mixed)
immangeable inedible
important(e) important
Inde (f) India
indéfini(e) indefinite
indépendance (f) independence
indépendant(e) independent
indien(ne) Indian
infinité (f) infinite number of
Indonésie (f) Indonesia
indonésien(ne) Indonesian
informations (fpl) news
informatique (f) computer science
ingrédient (m) ingredient
inscrit(e) enrolled
instant (m) moment
insupportable unbearable
intelligent(e) intelligent
intensif (-ive) intensive
intéressant(e) interesting
international(e) international
invité (m), invitée (f) guest
inviter 1 to invite

j

jamais never
jambe (f) leg
jambon (m) ham
janvier January
Japon (m) Japan
japonais(e) Japanese
jardin (m) garden
jaune yellow
je I
jean (m) pair of jeans
jeudi Thursday
jeune young
jeunes (mpl) young people
jeu (m) vidéo video game
jogging (m) jogging
joli(e) pretty
jouer 1 to play
jouet (m) toy
joueur (m), joueuse (f) player

jour (m) day
jour (m) de congé public holiday
journaliste (m/f) journalist
journée (f) day
juif (-ive) Jewish
juillet July
juin June
jus (m) de fruits fruit juice

k

karaté (m) karate
karatéka (m) karate expert
ketchup (m) tomato sauce
kilomètre (m) kilometre

l

la the, it, him, her
là there
là-bas over there
laid(e) ugly
laisser **1** to leave, to let
lait (m) milk
lait (m) au chocolat chocolate milk
langue (f) language
lapin (m) rabbit
le the, it, him, her
leger (légère) light
légume (m) vegetable
les the (plural), them
lettre (f) letter
leur, leurs their
libre free
ligne (f) line, figure
ligne (f) de bus bus route
limonade (f) lemonade
lire **3** to read
lit (m) bed
livre (m) book
logo (m) logo
loin far
long(-ue) long
lui him
lundi Monday
lune (f) moon
lunettes (fpl) glasses
lunettes (fpl) de soleil sunglasses
lunettes (fpl) noires dark glasses
Luxembourg (m) Luxembourg
lycée (m) senior secondary school

m

ma my
madame Mrs, madam

magasin (m) shop
magasin (m) de disques record shop
magnifique magnificent
mai May
main (f) hand
maintenant now
mairie (f) town hall
mais but
maison (f) house, home
mal bad(-ly)
maman (f) mother, mum
Manche (f) English Channel
manger **1*** to eat
mangue (f) mango
manioc (m) manioc, cassava
marché (m) market
mardi Tuesday
mari (m) husband
Maroc (m) Morocco
marocain(e) Moroccan
marrant(e) (fam) funny
marron brown (eyes)
marron (m) chaud hot chestnut
mars March
masculin (m) masculine
maternelle (f) kindergarten
matière (f) school subject
maths, mathématiques (f) maths
matin (m), matinée (f) morning
Maurice Mauritius
mauricien(ne) Mauritian
mauvais(e) bad
mec (m) (fam) guy, bloke
méchant(e) nasty
méchoui (m) Moroccan dish
mécontent(e) discontented
Méditerranée (f) Mediterranean
méga-assuré(e) (fam) absolutely
    guaranteed
meilleur(e) best
mélaniesien(ne) Melanesian
membre (m) member
mémé (f) (fam) granny
menthe (f) mint
mer (f) sea
merci thank you
mercredi Wednesday
mère (f) mother
mes my
météo (f) weather forecast
métro (m) underground railway
mi- mid-
miam miam ! yum!
miel (m) honey
mieux better

mignon(ne) cute
mi-long(-ue) medium-length
mince slim
minoritaire in the minority
miaou miaow
moche (fam) ugly
mode (f) fashion
modèle (m) style, model
modeste modest
moi me
moins less
mois (m) month
moment (m) moment, minute
mon my
monde (m) world
monnaie (f) change
monsieur Mr, sir
montagne (f) mountain
monter **1** to go up
montrer **1** to show
musculation (f) body-building
musée (m) museum
musique (f) music

n

natation (f) swimming
nation (f) nation
nationalité (f) nationality
ne … jamais never
ne … pas not
ne … rien nothing
négatif (-ive) negative
neige (f) snow
neiger **1** to snow
néo-zélandais(e) New Zealander
neuvième ninth
neveu (m) nephew
nez (m) nose
nid (m) nest
nièce (f) neice
Noël Christmas
noir(e) black
noisette hazel
nom (m) name, noun
nom (m) de famille family name
nombreux (-euse) numerous
non no
nord (m) north
nord-africain(e) North African
normalement normally
nos our
note (f) mark
notre our
nous we, us

nous deux both of us
nouveau (-elle) new
nouvelle (f) news
Nouvelle-Calédonie (f) New Caledonia
Nouvelle-Zélande (f) New Zealand
novembre November
nuage (m) cloud
nuageux (-euse) cloudy
nul(le) no good
numéro (m) number
numéro (m) de téléphone telephone
    number

O

objectif (m) aim
occupé(e) busy
octobre October
œil (m) eye
œuf (m) egg
officiel(le) official
offre (f) offer
oiseau (m) bird
on we, they, one
oncle (m) uncle
orage (m) thunderstorm
oral(e) oral, spoken
orange orange (colour)
orange (f) orange (fruit)
Orangina (m) Orangina, fizzy orange
    drink
ordinateur (m) computer
oreille (f) ear
original(e) original
origine (f) origin, source
ou or
où ? where ?
oublier 1 to forget
ouest (m) west
oui yes

p

Pacifique (m) Pacific Ocean
paiement (m) payment
pain (m) bread
pain (m) grillé toast
palmier (m) palm tree
papa (m) father, dad
papillon (m) butterfly
paquebot (m) passenger boat,
    cruise ship
Pâques (m) Easter
par by, through, by way of
par ici this way
parachutiste (m/f) parachutist

parc (m) park
pardon I beg your pardon, sorry
parents (mpl) parents
parfait(e) perfect
parfois sometimes
parisien(ne) Parisian
parler 1 to speak
partenaire (m/f) partner
participer 1 to participate
partout everywhere
passer 1 to spend
passe-temps (m) pastime, hobby
passionnant(e) very interesting
passionné(e) devoted to
pâté (m) pâté
pâtisserie (f) pastry, cake shop
pays (m) country
Pays-Bas (mpl) Netherlands
pêche (f) peach, fishing
pendant during
pénible tiresome, hard-going
penser 1 to think
Pentecôte (f) Whitsunday
pépé (m) (fam) grandpa
perdu(e) lost
père (m) father
perroquet (m) parrot
personne (f) person
personnel (m) staff
pétanque (f) French bowls
petit(e) little, small
petit déjeuner (m) breakfast
petite-fille (f) granddaughter
petit-fils (m) grandson
petits-enfants (mpl) grandchildren
(un) peu (a) little, a bit
peut-être perhaps
photo (f) photo
pièce (f) coin, piece
pied (m) foot
pile exactly
piquant(e) hot (taste)
pique-nique (m) picnic
piscine (f) swimming pool
pistolet (m) pistol
pizza (f) pizza
place (f) space, square
plage (f) beach
plaisanter 1 to joke
plaisir (m) pleasure
planche (f) à voile windsurfing
plat (m) dish
plat(e) flat, non-sparkling (drinks)
pleuvoir 3 to rain
pluie (f) rain

pluriel (m) plural
plus more
plusieurs several
plutôt rather, instead
poche (f) pocket
poisson (m) fish
poisson (m) rouge goldfish
pomme (f) apple
pont (m) bridge
ponton (m) pontoon
porter 1 to wear
portugais(e) Portugese
Portugal (m) Portugal
poser 1 to pose (question)
positif (-ive) positive
possible possible
poste (f) post office
poster (m) poster
poulet (m) chicken
pourquoi ? why?
pourtant however
pratique practical
pratique (f) practice, use
préféré(e) favourite
préférence (f) preference
préférer 1* to prefer
premier (-ère) first
prendre 3 to take
prénom (m) given name
préparer 1 to prepare
près de near to
présent(e) here
se présenter 1R to introduce oneself
presque nearly, almost
prêt(e) ready
prêter 1 to lend
prévoir 3 to provide
primaire primary
printemps (m) spring
prix (m) price
prochain(e) next
proche close to, near to
prof, professeur (m) teacher
profession (f) profession, job
profiter 1 to take advantage
programme (m) program
projet (m) project, plan
promenade (f) walk, ride
proposer 1 to propose, to offer
propriétaire (m/f) owner
publicité (f) advertising
puis then
pull (m) jumper
punir 2 to punish
punition (f) punishment

pyramide (f) pyramid
Pyrénées (fpl) Pyrenees mountains

q

quai (m) bank, quay
quand when
quand même even so
quart (m) quarter
quart (m) d'heure quarter of an hour
quartier (m) area
quatrième fourth
Québec (m) Quebec
quel(le) ? which?
quelque(s) some
quelquefois sometimes
qui ? who?
que (?) what(?), that, which
quoi ? what ?

r

raconter 1 to tell
radieux (-euse) dazzling, brilliant
raide straight
raison (f) reason, right
raisonnable reasonable
Rallye (m) rally
randonnée (f) bushwalk
rap (m) rap music
rapide quick
rappeur (m) rapper
rarement rarely
rasoir (fam) boring
rayon (m) department in store
réception (f) reception
rechercher 1 to search for
recommencer 1* to start again
record (m) record
récré, récréation (f) breaktime
redoubler 1 to repeat a year
regarder 1 to look at
régime (m) diet
région (f) region
régional(e) regional
règle (f) ruler
régulier (-ière) regular
remarque (f) remark, comment
rencontrer 1 to meet
rendez-vous (m) meeting
rendre 3 visite à to visit (person)
rentrée (f) first day at school
rentrer 1 to come back (home)
réponse (f) answer
réservation (f) reservation
réservé(e) reserved

respect (m) respect
restaurant (m) restaurant
rester 1 to stay
retard (m) delay
retour (m) return
retrouver 1 to meet again
revenir 3 to return
rien nothing
rire (m) laugh
risquer de 1 to run the risk of
riz (m) rice
rock (m) rock music
roi (m) king
roller (m) roller-skating
rond(e) round
rongeur (m) rodent
rôti (m) roast
rôti(e) roasted
rougail (m) spicy Creole dish
rouge red
rouler 1 to drive
route (f) road, route
roux red (hair)
Royaume-Uni (m) United Kingdom
rue (f) street, road
ruine (f) ruin

s

sa his, her
sac (m) bag
sac (m) à dos backpack
sac (m) à main handbag
saignant(e) rare (meat)
sain(e) healthy
Saint-Valentin (f) (Saint) Valentine's Day
saison (f) season
salade (f) salad
salut hi
samedi Saturday
sandwich (m) sandwich
sans without
sans doute doubtless
saucisse (f), saucisson (m) sausage
sauter 1 to jump
savoureux (-euse) tasty
science-fiction (f) science fiction
sciences (fpl) naturelles natural science
secondaire secondary
Seine (f) river Seine
séjour (m) stay
semaine (f) week
septembre September
septième seventh
sérieusement seriously

service (m) favour
ses his, her
seulement only
sieste (f) snooze
simple simple
site (m) website
situé(e) situated
sixième sixth
ski (m) skiing
snob snobbish
sœur (f) sister
soif (m) thirst
soir (m), soirée (f) evening
soldes (fpl) sales
soleil (m) sun
son his, her
souper (m) supper
souvent often
spécialité (f) speciality
sport (m) sport
sportif (-ive) athletic
stade (m) stadium, sportsfield
stylo-bille (m) ball pen, biro
sucré(e) sugary, sweet
sud (m) south
suisse Swiss
Suisse (f) Switzerland
suite continued
super great, terrific
superbe glorious
supermarché (m) supermarket
surf (m) surfing
surligneur (m) highlighter
surveiller 1 to supervise
sympa, sympathique nice, friendly

t

ta your
table (f) table
tableau (m) noir blackboard
taille-crayon (m) pencil sharpener
talent (m) talent
tante (f) aunt
tarte (f) tart
tas (m) heap, pile
tatie (f) (fam) aunt
techno (m) techno music
technologie (f) technology
tee-shirt (m) T-shirt
télé, télévision (f) TV, television
téléphone (m) telephone
téléphoner à 1 to telephone
témoin (m) witness
température (f) temperature

temps (m) weather
tennis (m) tennis
terminale (f) final year at school
terrasse (f) terrace
tes your
tête (f) head
thé (m) tea
titre (m) title
toi you
tomber 1 to fall (down)
ton your
tonton (m) (fam) uncle
tôt soon, early
toujours still, always
Tour (m) de France Tour de France
tourmenter 1 to torment
tourner 1 to turn
tournoi (m) tournament
Toussaint (f) All Saints' Day
tout(e) all, every, everything
tout droit straight ahead
tout le monde everyone
tradition (f) tradition
traité (m) treaty
tranquillement peacefully
transfusion (f) transfusion
travail (m) work, labour
travailler 1 to work
traverser 1 to cross (a street)
très very
triste sad
troisième third
trop too much, too many, too
tropical(e) tropical
trousse (f) pencil case
trouver 1 to find, to be of the opinion
tu you (singular)
Tunisie (f) Tunisia
tunisien(ne) Tunisian
tunnel (m) tunnel
type (m) type, kind

U

un, une a, one
unique only, unique
unité (f) unit
utiliser 1 to use

V

vacances (fpl) holidays
vaisselle (f) washing up
valable valid
valse (f) waltz
vanille (f) vanilla

varié(e) varied
variétés (fpl) françaises French pop music
vélo (m) bike, bike riding
vélo (m) tout terrain (VTT) mountain bike
vendre 3 to sell
vendredi Friday
venir 3 to come
vent (m) wind
véranda (f) verandah
verglas (m) black ice
verres (mpl) de contact contact lenses
vert(e) green
vêtements (mpl) clothing
victoire (f) victory
vie (f) life
Viêt Nam (m) Vietnam
vietnamien(ne) Vietnamese
vieux (vieille) old
violent(e) violent
vin (m) wine
ville (f) town
visage (m) face
vite quickly
vitesse (f) speed
voici here is, here are
voilà there is, there are
voir 3 to see
voisin (m), voisine (f) neighbour
voiture (f) car
volé(e) stolen
voler 1 to fly, to steal
volley (m) volleyball
volontiers gladly, I'd love to
vos, votre your
vouloir 3 to want
vous you (plural and polite)
voyage (m) trip
voyager 1* to travel
vrai(e) real, true, right
vraiment really
VTT (m) (vélo tout terrain) mountain bike

W

week-end (m) weekend

Y

yaourt (m) yoghurt
yeux (mpl) eyes

Z

zippé(e) zipped
zone (f) zone
zut ! darn it!

vocabulaire anglais-français

Key to symbols

(**m**) masculine noun
(**f**) feminine noun
(**mpl**) masculine plural noun
(**fpl**) feminine plural noun

1 1st group **-er** verbs (see p. 148).

1* 1st group **-er** verbs with a minor change (see pp. 148–9).

1ᴿ 1st group **-er** reflexive verbs (see p. 149).

2 2nd group **-ir** verbs (see p. 150).

3 3rd group irregular verbs (see pp. 150–1).

Adjectives are usually given in the masculine singular form followed by feminine singular endings in brackets.

a

a, an   un, une
to accept   accepter **1**
access   accès (m)
accessory   accessoire (m)
to accompany   accompagner **1**
activity   activité (f)
actor   acteur (m), actrice (f)
address   adresse (f)
to adopt   adopter **1**
to adore   adorer **1**
advertising   publicité (f)
aerobics   aérobic (m)
Africa   Afrique (f)
African   africain(e)
after   après
afternoon   après-midi (m)
again   encore
against   contre
agent   agent (m)

to agree   être **3** d'accord
aim   objectif (m)
air   air (m)
air-conditioned   climatisé(e)
Algeria   Algérie (f)
Algerian   algérien(ne)
alien   extraterrestre (m/f)
all   tout(e)
almost   presque
alphabet   alphabet (m)
already   déjà
also   aussi
always   toujours
American   américain(e)
and   et
animal   animal (m)
anniversary   anniversaire (m)
annoying   énervant(e)
answer   réponse (f)
apartment   appartement (m)
apple   pomme (f)
April   avril
area   quartier (m)
arm   bras (m)
armed   armé(e)
Armistice Day   Armistice (m)
around   autour (de)
to arrive   arriver **1**
art   dessin (m)
artistic   artistique
arts   arts (mpl)
as   comme
as well   aussi
Ascension Day   Ascension (f)
to ask (for)   demander **1**
to ask (a question)   poser **1**
   (une question)
Assumption Day   Assomption
at   à
athletic   sportif (-ive)
Atlantic (Ocean)   Atlantique (m)
at last   enfin, finalement
atmosphere   ambiance (f)
August   août
aunt   tante (f), tatie (f)
Australia   Australie (f)
Australian   australien(ne)
Austria   Autriche (f)
authentic   authentique

autumn   automne (m)
avenue   avenue (f)
to avoid   éviter **1**
away   absent(e)
awful   affreux (-euse)

b

back   dos (m), de retour
backpack   sac (m) à dos
bad   mauvais(e)
bad(-ly)   mal
bag   sac (m)
bakery   boulangerie (f)
balanced   équilibré(e)
banana   banane (f)
bank   banque (f), quai (m)
banknote   billet (m)
bargain   (bonne) affaire (f)
Basque   basque
to be   être **3**
to be allowed   avoir **3** le droit
to be called   s'appeler **1ᴿ**
to be hungry   avoir **3** faim
to be lucky   avoir **3** de la chance
to be right   avoir **3** raison
to be sleepy   avoir **3** sommeil
to be thirsty   avoir **3** soif
to be wrong   avoir **3** tort
beach   plage (f)
bean   haricot (m)
beautiful   beau (belle)
beauty   beauté (f)
bed   lit (m)
beef   bœuf (m)
beer   bière (f)
before   avant
behind   derrière
Belgian   belge
Belgium   Belgique (f)
below   sous, (ci-)dessous
belt   ceinture (f)
bench   banc (m)
beret   béret (m)
best   meilleur(e)
better   mieux
between   entre
big   grand(e)
bike   vélo (m)
bird   oiseau (m)

birthday anniversaire (m)
biscuit biscuit (m), gateau (m)
bizarre bizarre
black noir(e)
black ice verglas (m)
blackboard tableau (m) noir
bleached décoloré(e)
blond(e) blond(e)
blue bleu(e)
body corps (m)
body-building musculation (f)
book livre (m)
boring rasoir (slang)
both les deux
boulevard boulevard (m)
bowls pétanque (f)
boy garçon (m)
bread pain (m)
break récré(-ation) (f)
breakfast petit déjeuner (m)
breakfast cereal céréales (fpl)
bridge pont (m)
brilliant radieux (-euse)
to bring (things) apporter **1**
to buy acheter **1***
British britannique
broken cassé(e)
brother frère (m)
brown brun(e), marron
buckwheat blé (m) noir
budget budget (m)
bus bus (m), autobus (m)
bus route ligne (f) de bus
bus station gare (f) routière
bush brousse (f)
bushwalk randonnée (f)
business affaires (fpl)
busy occupé(e)
but mais
butcher boucher (m)
butter beurre (m)
butterfly papillon (m)
by à, en, par
by far de loin

c

café café (m)
cake gateau (m)
cake shop pâtisserie (f)
calculator calculette (f)
calendar calendrier (m)
calm calme
Canada Canada (m)
Canadian canadien(ne)

canary canari (m)
canteen cantine (f)
cap casquette (f)
car voiture (f)
card carte (f), fiche (f)
carrot carotte (f)
cassava manioc (m)
cat chat (m), chatte (f)
cauliflowers choux-fleurs (mpl)
CD CD (m)
to celebrate fêter **1**
celebration célébration (f), fête (f)
cent centime (m)
centime centime (m)
certain certain(e)
chair chaise (f)
champion champion (m), championne (f)
change monnaie (f)
to change changer **1***
character caractère (m)
cheap bon marché
cheese fromage (m)
chestnut marron (m)
chestnut brown châtain(e)
chicken poulet (m)
child enfant (m/f)
China Chine (f)
Chinese chinois(e)
chips (hot) frites (fpl)
chocolate chocolat (m)
chocolate milk lait (m) au chocolat
choice choix (m)
to choose choisir **2**
Christmas Noël (m)
cinema cinéma (m)
civics éducation (f) civique
class classe (f)
classical classique
clear clair(e)
clever génial(e), intelligent(e)
climate climat (m)
to climb grimper **1**
close (to) proche
clothing vêtements (mpl)
cloud nuage (m)
cloudy nuageux (-euse)
Coca-Cola Coca-Cola (m)
coffee café (m)
cold froid (m), froid(e)
to collect collectionner **1**
colour couleur (f)
to come venir **3**
to come back (home) rentrer **1**
comfortable confortable
comic BD (f), bande (f) dessinée

comment remarque (f)
companion compagnon (m), compagne (f)
compasses (pair of) compas (m)
completely complètement
computer ordinateur (m)
computer science informatique (f)
concert concert (m)
consultant conseiller (m), conseillère (f)
contact lenses verres (mpl) de contact
to continue continuer **1**
continued suite
cooking cuisine (f)
cool cool (slang)
corner coin (m)
correspondant correspondant(e)
cosmonaut cosmonaute (m/f)
to cost coûter **1**
country pays (m)
countryside campagne (f)
couple couple (m)
courage courage (m)
course cours (m)
couscous couscous (m)
cousin cousin (m), cousine (f)
crazy fou (folle)
crazy about fana, fanatique
cream crème (f)
credit card carte (f) de crédit
crème caramel crème (f) caramel
to criticise critiquer **1**
crocodile crocodile (m)
croissant croissant (m)
to cross traverser **1**
cruise ship paquebot (m)
cultural culturel(le)
curly frisé(e)
curry curry (m)
cut coupé(e)
to cut out découper **1**
cute mignon(ne)

d

dad papa (m)
dance danse (f)
to dance danser **1**
dangerous dangereux (-euse)
dark glasses lunettes (fpl) noires
darn it! zut !
date date (f)
daughter fille (f)
day jour (m), journée (f)
dazzling radieux (-euse)
December décembre
degree degré (m)

delay   retard (m)
delicious   délicieux (-euse)
delighted   enchanté(e)
department   rayon (m)
department store   grand magasin (m)
dessert   dessert (m)
detail   détail (m)
to detest   détester *1*
devoted to   passionné(e)
diet   régime (m) alimentaire
to digest   digérer *1**
to dine   dîner *1*
dinner   dîner (m)
disastrous   catastrophique
discontented   mécontent(e)
disgusting   dégoûtant(e)
dish   plat (m), assiette (f)
district   arrondissement (m)
to do   faire *3*
doctor   docteur (m)
dog   chien (m), chienne (f)
doubtless   sans doute
drawing   dessin (m)
drink   boisson (f)
to drink   boire *3*
to drive   rouler *1*
during   pendant

e

ear   oreille (f)
early   tôt
to earn   gagner *1*
Easter   Pâques (m)
easy   facile
to eat   manger *1**
to eat lunch   déjeuner *1*
to eat dinner   dîner *1*
egg   œuf (m)
Egypt   Égypte (f)
Egyptian   égyptien(ne)
eighth   huitième
elegant   élégant(e)
employee   employé(e)
end   bout (m)
England   Angleterre (f)
English   anglais(e)
to enjoy oneself   s'amuser *1R*
enough   assez
enrolled   inscrit(e)
entrance   entrée (f)
entrée   entrée (f)
to erase   effacer *1**
eraser   gomme (f)
euro   euro (m)

Europe   Europe (f)
European Cup   Coupe (f) d'Europe
even   encore, même
evening   soir (m), soirée (f)
every   chaque, tout(e)
everyone   tout le monde
everywhere   partout
exactly (time)   pile
excuse me   pardon
exercise book   cahier (m)
exercises   gymnastique (f)
exhibition   exposition (f)
expensive   cher (-ère)
to explain   expliquer *1*
to expose   exposer *1*
expression   expression (f)
extra-terrestrial   extraterrestre (m/f)
eye   œil (m)
eyes   yeux (mpl)

f

face   visage (m)
to fall (down)   tomber *1*
false   faux (fausse)
family   famille (f)
family name   nom (m) de famille
famous   célèbre
far   loin
fashion   mode (f)
fashionable   à la mode
fat   gros(se)
father   père (m), papa (m)
fatty (substance)   gras(se)
favour   service (m)
favourite   préféré(e)
February   février
ferocious   féroce
festival   fête (f)
fifth   cinquième
film   film (m)
final match   finale (f)
final year at school   terminale (f)
finally   enfin, finalement
to find   trouver *1*
to finish   finir *2*
Finland   Finlande (f)
first   premier (-ère)
first day at school   rentrée (f)
firstly   d'abord
fish   poisson (m)
fishing   pêche (f)
fit   en forme
fizzy   gazeu (-euse)
floor   étage (m)

to flower   fleurir *2*
to fly   voler *1*
fog   brouillard (m)
food   aliment (m), nourriture (f)
foot   pied (m)
for   pour, depuis
foreign   étranger (-ère)
forest   forêt (f)
to forget   oublier *1*
form   forme (f), fiche (f)
Formula One   Formule 1 (f)
fourth   quatrième
France   France (f)
free   libre
freeway   autoroute (f)
to freeze   geler *1**
French   français(e)
fresh   frais (fraîche)
freshness   fraîcheur (f)
Friday   vendredi
friend   copain (m), copine (f)
from   de
from the time   dès
front   frontal(e)
fruit juice   jus (m) de fruits
full   complet (-ète)
funny   drôle, marrant(e) (slang)
futuristic   futuriste

g

garden   jardin (m)
geography   géo(-graphie) (f)
geometry   géométrie (f)
German   allemand(e)
Germany   Allemagne (f)
to get down   descendre *3*
to get worse   se dégrader *1R*
gift   cadeau (m)
girl   fille (f)
glacial   glacial(e)
gladly   volontiers
glasses   lunettes (fpl)
glory   gloire (f)
goldfish   poisson (m) rouge
to go   aller *3*
to go down   descendre *3*
to go up   monter *1*
to go with   accompagner *1*
good   bon(ne)
good at   fort(e) en
good deal   (bonne) affaire (f)
goodbye   au revoir
gourmet   gourmet (m)
grandchildren   petits-enfants (mpl)

granddaughter   petite-fille (f)
grandfather   grand-père (m)
grandmother   grand-mère (f)
grandpa   pépé (m) (slang)
grandparents   grands-parents (mpl)
grandson   petit-fils (m)
granny   mémé (f) (slang)
great   super, chic !
Greece   Grèce (f)
Greek   grec(que)
green   vert(e)
grey   gris(e)
grocer   épicier (m), épicière (f)
group   groupe (m)
to guard   garder **1**
guest   invité(e) (m/f)
guide   guide (m)
guy   mec (m) (slang)
gymnastics   gymnastique (f)

h

hair   cheveux (mpl)
half   demi(e)
half-hour   demi-heure (f)
ham   jambon (m)
hand   main (f)
handbag   sac (m) à main
handsome   beau (belle)
happy   content(e)
harbour station   gare (f) maritime
hard   difficile
hard-going   pénible
to have   avoir **3**
hazel   noisette
he   il
head   tête (f)
healthy   sain(e), en forme
heap   tas (m)
heat   chaleur (f)
hello   bonjour
her (possessive)   son, sa, ses
her   elle, la
here   ici, présent(e)
here is / here are   voici
hey!   hé !
hi   salut
highlighter   surligneur (m)
him   lui, le
his (possessive)   son, sa, ses
historical   historique
history   histoire (f)
hobby   passe-temps (m)
hockey   hockey (m)
hold-up   braquage (m)

holidays   vacances (fpl)
home   maison (f)
homework   devoirs (mpl)
honey   miel (m)
to hope   espérer **1***
horror film   film (m) d'horreur
hot   chaud(e)
hot chocolate   chocolat (m) chaud
hot (taste)   piquant(e)
hotel   hôtel (m)
hour   heure (f)
house   maison (f)
household   foyer (m)
how?   comment ?
how much?, how many?   combien ?
however   pourtant
hunger   faim (f)
to hurry   se dépêcher **1ᴿ**
husband   mari (m)

i

I   je
ice   glace (f)
ice-cream   glace (f)
iced   glacé(e), frappé(e)
idea   idée (f)
ideal   idéal (m)
identity   identité (f)
idiotic   débile
important   important(e)
in   dans, en, à
in advance   d'avance
in fashion   à la mode
in front of   devant
in less than   en moins de
in season   de saison
in short   bref
in the act of   en train de
in the minority   minoritaire
independence   indépendance (f)
independent   indépendant(e)
India   Inde (f)
Indian   indien(ne)
to indicate   indiquer **1**
Indonesia   Indonésie (f)
Indonesian   indonésien(ne)
inedible   immangeable
infinite (number)   infinité (f)
information   infos (fpl)
ingredient   ingrédient (m)
instead   plutôt
intelligent   intelligent(e)
intensive   intensif (-ive)
interesting   intéressant(e)

international   international(e)
to introduce oneself   se présenter **1ᴿ**
to invite   inviter **1**
island   île (f)
it   ce(tte), le, la, l'
it is   c'est

j

jam   confiture (f)
January   janvier
Japan   Japon (m)
Japanese   japonais(e)
jeans   jean (m)
Jewish   juif (-ive)
job   profession (f), emploi (m)
jogging   jogging (m)
to joke   plaisanter **1**
journalist   journaliste (m/f)
July   juillet
to jump   sauter **1**
jumper   pull (m)
June   juin
junior secondary school   collège (m)

k

karate   karaté (m)
karate expert   karatéka (m)
keyboard   clavier (m)
kindergarten   (école) maternelle (f)
kilometre   kilomètre (m)
kind   gentil(le), type (m)
king   roi (m)
kiss   bise (f) (slang)

l

labour   travail (m)
lamb   agneau (m)
language   langue (f)
last   dernier (-ère)
late   en retard
latest   dernier (-ère)
laugh   rire (m)
leaf   feuille (f)
to learn   apprendre **3**
to leave   laisser **1**
left   gauche
leg   jambe (f)
lemon   citron (m)
lemonade   limonade (f)
to lend   prêter **1**
less   moins
to let   laisser **1**
letter   lettre (f)

life   vie (f)
light   leger (légère), clair(e)
like   comme
to like   aimer **1**, adorer **1**
to listen (to)   écouter **1**
little   petit(e)
live   en direct
to live (in, at)   habiter **1** à, en
logo   logo (m)
lolly   bonbon (m)
long   long(-ue)
to look (at something)   regarder **1**
to look (seem)   avoir **3** l'air
to look for   chercher **1**
lost   perdu(e)
a lot of   beaucoup de
love   amour (m)
to love   aimer **1**, adorer **1**
lovely   chouette
luck   chance (f)
luckily   heureusement
lunch   déjeuner (m)
Luxembourg   Luxembourg (m)

m

mail   courrier (m)
to make   faire **3**
magnificent   magnifique
man   homme (m), mec (m) (slang)
mango   mangue (f)
manioc   manioc (m)
map   carte (f)
March   mars
mark (at school)   note (f)
market   marché (m)
mate   camarade (m/f)
maths   maths (f) (mathématiques)
Mauritian   mauricien(ne)
Mauritius   (île) Maurice (f)
May   mai
me   moi
Mediterranean   Méditerranée (f)
medium-length   mi-long(-ue)
medium-sized   de taille (f) moyenne
to meet   rencontrer **1**
to meet again   retrouver **1**
meeting   rendez-vous (m)
Melanesian   mélanésien(ne)
member   membre (m)
mid-   mi-
mild-natured   doux (douce)
milk   lait (m)
mineral water   eau (f) minérale
mint   menthe (f)

minute   minute (f), moment (m)
Miss   Mademoiselle
mist   brume (f)
model   modèle (m)
modest   modeste
moment   moment (m), minute (f), instant (m)
Monday   lundi
money   argent (m)
month   mois (m)
moon   lune (f)
more   plus
moreover   de plus
morning   matin (m)
Moroccan   marocain(e)
Morocco   Maroc (m)
mother   mère (f), maman (f)
mountain   montagne (f)
mountain bike   VTT (m) (vélo tout terrain)
mouth   bouche (f)
to move around   bouger **1***
Mr   Monsieur
Mrs   Madame
mum   maman (f)
museum   musée (m)
music   musique (f)
my   mon, ma, mes

n

name (family)   nom (m) de famille
name (given)   prénom (m)
nasty   méchant(e)
nation   nation (f)
nationality   nationalité (f)
near (to)   près de, proche
nearly   presque
need   besoin (m)
to need   avoir **3** besoin de
negative   négatif (-ive)
neice   nièce (f)
neighbour   voisin (m), voisine (f)
nephew   neveu (m)
nest   nid (m)
Netherlands   Pays-Bas (mpl)
never   (ne …) jamais
new   nouveau (nouvelle)
New Caledonia   Nouvelle Calédonie (f)
New Zealand   Nouvelle-Zélande (f)
New Zealander   néo-zélandais(e)
news   nouvelles (fpl), informations (fpl)
next   prochain(e), ensuite
next to   à côté de
to nibble   grignoter **1**
nice   gentil(le), sympa (sympatique)

ninth   neuvième
no   non
no good   nul(le)
normally   normalement
north   nord (m)
North African   nord-africain(e)
nose   nez (m)
not   ne … pas
nothing   ne … rien
November   novembre
now   maintenant
number   numéro (m)
numerous   nombreux (-euse)

o

October   octobre
of   de
offer   offre (f)
to offer   proposer **1**
office   bureau (f)
often   souvent
OK   d'accord
old   vieux (vieille)
on   en, à, dessus, sur
on the contrary   au contraire
one   un, une
only   seulement, unique
open   ouvert(e), découvert(e)
opinion   avis (m)
opposite   en face de, contraire (m)
or   ou
oral   oral(e)
orange   orange, orange (f)
Orangina   Orangina (m)
origin   origine (f)
original   original(e)
other   autre (d'autres)
our   notre, nos
outside   dehors
over there   là-bas
owner   propriétaire (m/f)

p

Pacific Ocean   Pacifique (m)
palm tree   palmier (m)
pancake   crêpe (f), galette (f)
parachutist   parachutiste (m/f)
parents   parents (mpl)
park   parc (m)
parrot   perroquet (m)
to participate   participer **1**
partner   partenaire (m/f)
passenger boat   paquebot (m)
pastime   passe-temps (m)

pastry pâtisserie (f)
pâté pâté (m)
payment paiement (m)
peacefully tranquillement
peach pêche (f)
pen (biro) stylo-bille (m)
pencil crayon (m)
pencil case trousse (f)
pencil sharpener taille-crayon (m)
penpal correspondant(e) (m/f)
perfect parfait(e)
perhaps peut-être
person personne (f)
personal stereo discman (m), baladeur (m)
pet animal (m) (familier)
photo photo (f)
physical education éducation (f) physique
picnic pique-nique (m)
pile tas (m)
pineapple ananas (m)
pistol pistolet (m)
pizza pizza (f)
plan projet (m)
plane avion (m)
plane ticket billet (m) d'avion
plastic plastique (f)
plate assiette (f)
to play jouer **1**
to play (a game, a sport) jouer à
to play (an instrument) jouer de
player joueur (m), joueuse (f)
playing cards cartes (fpl)
pleasant agréable
please s'il vous plaît
pleased content(e)
pleasure plaisir
pocket poche (f)
police officer agent (m) de police,
          policier (-ère)
polite bien élevé(e), correct(e)
pontoon ponton (m)
Portugal Portugal (m)
Portuguese portugais(e)
positif positif (-ive)
possible possible
post office bureau (m) de poste, poste (f)
postcard carte (f) postale
poster poster (m)
practical pratique
practice pratique (f)
to prefer préférer **1***
preference préférence
to prepare préparer **1**
present cadeau (m)
pretty joli(e)

price prix (m)
profession profession (f)
program programme (m)
project projet (m)
to propose proposer **1**
to provide prévoir **3**
public holiday jour (m) de congé
to punish punir **2**
punishment punition (f)
purchases achats (mpl)
pyramid pyramide (f)
Pyrenees Pyrénées (fpl)

q

quarter quart (m)
quarter of an hour quart (m) d'heure
quay quai (m)
quickly vite
quiet! chut !
quite assez

r

rabbit lapin (m)
race course (f)
railway chemin (m) de fer
railway station gare (f)
rain pluie (f)
to rain pleuvoir **3**
range gamme (f)
rap music rap (m)
rapper rappeur (m)
rare (meat) saignant(e)
rarely rarement
rather assez, plutôt
to read lire **3**
reading lecture (f)
ready prêt(e)
real vrai(e)
really vraiment
reason raison (f)
reception réception (f)
record record (m), disque (m)
record shop magasin (m) de disques
red rouge
red (hair) roux
region région (f)
regional régional(e)
regular régulier (-ière)
remark remarque (f)
to repeat a year redoubler **1**
reservation réservation
reserved réservé(e)
respect respect (m)
restaurant restaurant (m)

return retour (m)
to return revenir **3**
right vrai(e), droite
rising en hausse
to risk risquer **1** de
road rue (f), route (f)
roast rôti (m)
roasted rôti(e)
rock music rock (m)
rodent rongeur (m)
roller-skating roller (m)
room place (f), salle (f), pièce (f)
round rond(e)
route route (f)
to rub out effacer **1***
ruin ruine (f)
ruler règle (f)
runners baskets (fpl)

s

sad triste
salad salade (f)
sales soldes (fpl)
sandwich sandwich (m)
Saturday samedi
sausage saucisse (f), saucisson (m)
to say dire **3**
school école (f)
school (junior secondary) collège (m)
school (primary) école (f) primaire
school (senior secondary) lycée (m)
science sciences (fpl) naturelles
science fiction science-fiction (f)
sea mer (f)
to search for rechercher **1**
season saison (f)
seat banc (m)
second deuxième
to see voir **3**
to seem avoir **3** l'air
to sell vendre **3**
senior secondary school lycée (m)
September septembre
serial feuilleton (m)
serious grave, sérieux (-euse)
seriously sérieusement
served desservi(e)
seventh septième
several plusieurs
she elle
to shine briller **1**
shoe chaussure (f)
shop magasin (m)
shopkeeper commerçant(e) (m/f)

shopping   courses (fpl)
short   court(e)
show   exposition (f)
to show   montrer *1*
shower   douche (f)
silly action   bêtise (f)
simple   simple
since   depuis
singer   chanteur (m), chanteuse (f)
sister   sœur (f)
sitting   assis(e)
situated   situé(e)
situation   situation (f)
sixth   sixième
skiing   ski (m)
sky   ciel (m)
slim   mince
small   petit(e)
snobbish   snob
snooze   sieste (f)
snow   neige (f)
snowman   bonhomme (m) de neige
so   alors, donc
soccer   foot(-ball) (m)
some   des, (un) peu de, quelque(s)
sometimes   quelquefois, parfois
son   fils (m)
soon   bientôt
sorry   pardon, désolé(e)
source   origine (f)
space   place (f), espace (f)
Spain   Espagne (f)
Spanish   espagnol(e)
sparkling   gazeux (-euse)
to speak   parler *1*
speciality   spécialité (f)
speed   vitesse (f)
to spend   passer *1*
spicy   épicé(e)
spiky (hair)   en brosse
sport   sport (m)
sportsfield   stade (m)
spring   printemps (m)
stadium   stade (m)
staff   personnel (m)
to start   commencer *1**
to start again   recommencer *1**
stay   séjour (m)
to stay   rester *1*
to steal   voler *1*
still   toujours, encore
still (drinks)   plat(e)
to stop   arrêter *1*
stolen   volé(e)
straight (hair)   raide

straight ahead   tout droit
strange   bizarre
steak   steak (m), bifteck (m)
street   rue (f)
strong   fort(e)
style   style (m), modèle (m)
to study   étudier *1*
subject   sujet (m)
subject (school)   matière (f)
sugary   sucré(e)
summer   été (m)
sun   soleil (m)
Sunday   dimanche
sunglasses   lunettes (fpl) de soleil
supermarket   supermarché (m)
to supervise   surveiller *1*
supper   souper (m)
surfing   surf (m)
sweet   sucré(e)
swimming   natation (f)
swimming pool   piscine (f)
Swiss   suisse
Switzerland   Suisse (f)

t

table   table (f)
to take   prendre *3*
to take (person)   emmener *1**
to take advantage   profiter *1*
talent   talent (m)
tall   grand(e)
tart   tarte (f)
task   devoir (m)
tasty   savoureux (-euse)
tea   thé (m)
teacher   prof (m/f), professeur (m)
team   équipe (f)
techno music   techno (m)
Technology   technologie (f)
telephone   téléphone (m)
to telephone   téléphoner *1* à
telephone number   numéro (m)
   de téléphone
television   télé(-vision) (f)
to tell   raconter *1*
temperature   température (f)
tennis   tennis (m)
tenth   dixième
terrace   terrasse (f)
terrific   super, formidable
test   contrôle (m)
thank you   merci
that   ça
the   le, la, l', les

their   leur, leurs
them   eux, elles, les
then   alors, puis, ensuite
there   là
there is, there are   il y a, voilà
these   ces
they   ils, elles, on
things   affaires (fpl)
to think   penser *1*
third   troisième
thirst   soif (m)
this   ce(tte), cet
through   par
thunderstorm   orage (m)
Thursday   jeudi
ticket   billet (m)
till   jusqu'à
till later   à plus tard
time   heure (f)
time period   délai (m)
timetable   emploi (m) du temps
tired   fatigué(e)
tiresome   pénible
title   titre (m)
to   à, en
toast   pain (m) grillé
today   aujourd'hui
together   ensemble
tomato sauce   ketchup (m)
tomorrow   demain
too   aussi, trop
too much, too many   trop
to torment   tourmenter *1*
town   ville (f)
town hall   mairie (f)
toy   jouet (m)
tradition   tradition (f)
transfusion   transfusion (f)
to travel   voyager *1**
travelling   en voyage
treaty   traité (m)
tree   arbre (m)
trip   voyage (m)
tropical   tropical(e)
true   vrai(e)
T-shirt   tee-shirt (m)
Tuesday   mardi
Tunisia   Tunisie (f)
Tunisian   tunisien(ne)
to turn   tourner *1*
type   type (m)

u

ugly   laid(e), moche (slang)

unbearable   insupportable
uncle   oncle (m), tonton (m)
uncovered   découvert(e)
unique   unique
unit   unité (f)
United Kingdom   Royaume-Uni (m)
United States   États-Unis (mpl)
until   jusqu'à
us   nous
use   pratique (f)
to use   utiliser *1*
useful   utile
usually   d'habitude

V

Valentine's Day   Saint-Valentin (f)
valid   valable
vanilla   vanille (f)
varied   varié(e)
vegetable   légume (m)
verandah   véranda (f)
very   très
victory   victoire (f)
video game   jeu (m) vidéo
Vietnam   Viêt Nam (m)
Vietnamese   vietnamien(ne)
violent   violent(e)
to visit (person)   rendre *3* visite à
to visit (place)   visiter *1*
volleyball   volley (m)

W

to wait for   attendre *3*
walk   promenade (f)
waltz   valse (f)
to want   vouloir *3* , désirer *1*
warm   chaud(e)
washing up   vaisselle (f)
watch out!   attention !
water   eau (f)
way   manière (f)
we   nous, on
to wear   porter *1*
weather   temps (m)
weather forecast   météo (f)
website   site (m)
Wednesday   mercredi
week   semaine (f)
weekend   week-end (m)
welcome   bienvenue (f), accueil (m)
well   bien
well brought up   bien élevé(e)
well-behaved   correct(e)
what?   comment ?

what ...?   qu'est-ce que...?
wheat   blé (m)
when(?)   quand (?)
which?   quel(le) ?
white   blanc(he)
Whitsunday   Pentecôte (f)
who?   qui ?
why?   pourquoi ?
wife   femme (f)
to win   gagner *1*
wind   vent (m)
window   fenêtre (f)
windsurfing   planche (f) à voile
wine   vin (m)
winter   hiver (m)
to wipe clean   effacer *1**
with   avec
without   sans
witness   témoin (m)
woman   femme (f)
wood   bois (m)
work   travail (m)
to work   travailler *1*
workbook   cahier (m)
world   monde (m)
wrong   faux (fausse)

Y

yam   igname (f)
year   an (m), année (f)
yellow   jaune
yes   oui
yet   encore
yoghurt   yaourt (m)
you   tu, toi, vous
young   jeune
young people   jeunes (mpl)
your   ton, ta, tes, votre, vos
yuk!   berk !
yum!   miam miam !

Z

zipped   zippé(e)
zone   zone (f)